ASAPmy

*Catalogage avant publication de Bibliothèque et Archives nationales du Québec
et Bibliothèque et Archives Canada*

Whitlock, Geneviève G.

Asapmy

L'ouvrage complet comprendra 4 v.
Sommaire: t. 1. Épidémie — t. 2. Foudres.

T. 1: ISBN 978-2-7621-3024-9 [édition imprimée]
    ISBN 978-2-7621-3180-2 [édition numérique]
T. 2: ISBN 978-2-7621-3054-6 [édition imprimée]
    ISBN 978-2-7621-3229-8 [édition numérique]

I. Titre. II. Titre: Épidémie. III. Titre: Foudres.

PS8645.H565A82 2010   C843'.6   C2010-940143-3
PS9645.H565A82 2010

Dépôt légal: 1er trimestre 2011
Bibliothèque et Archives nationales du Québec
© Éditions Saint-Martin, 2011

La maison d'édition reconnaît l'aide financière du Gouvernement du Canada par
l'entremise du Fonds du livre du Canada pour ses activités d'édition. La maison d'édition remercie de leur soutien financier le Conseil des Arts du Canada et la Société de développement des entreprises culturelles du Québec (SODEC). La maison d'édition bénéficie du Programme de crédit d'impôt pour l'édition de livres du Gouvernement du Québec, géré par la SODEC.

IMPRIMÉ AU CANADA EN JANVIER 2011

GENEVIÈVE G. WHITLOCK

ASAPMY

TOME 2 · Foudres

Illustrations d'Alain Reno

FIDES

MAGZ

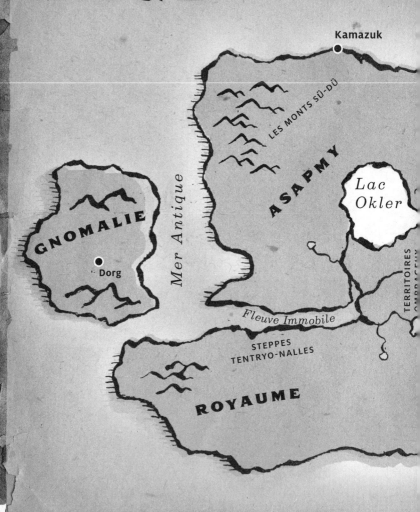

«La foudre se met à frapper, une fois, deux fois, trois
   fois, en plein cœur, en pleine vie.
Elle perce le mur de toutes les indifférences, la foudre.
Et suspend le temps.
[...] Je ne retrouve mes moyens que pour vaciller sur le
   socle de mes rêves.»

La chambre morte,
GILBERT DUPUIS

PREMIÈRE PARTIE

1

SURPRISE

Le tunnel était sombre et humide.

Assis sur la pierre froide, Youssimi Jastudeh, ennuyé, regrettait plus que jamais d'avoir été affecté à la surveillance de ce passage. Faiblement éclairé par la flamme dansante d'une torche, il n'avait rien d'autre à faire que de ruminer des pensées noires.

On lui avait confié ce poste pour le punir de s'être battu pendant son quart. Il n'avait pourtant rien provoqué, c'était ce maudit Dummkopf qui l'avait frappé en premier. Youssimi n'avait fait que se défendre. Avant leur altercation, il discutait simplement avec un autre garde, un idiot qui croyait encore que la Princesse Moraggen était partie en mission avec ses trois inséparables amis afin de trouver un antidote à l'épidémie qui décimait Kamazuk. Il tâchait de lui expliquer que cette histoire n'était qu'une fable inventée par des ménestrels. Comment aurait-il pu savoir que Corentin Dummkopf se trouvait derrière eux et ne manquait pas un mot de leur conversation ? Ce dernier était fou de toute façon : Vikh ne reviendrait jamais et encore moins avec le remède. Déjà deux mois s'étaient écoulés et personne n'avait eu de ses nouvelles. Corentin devait accepter la vérité : comme tant d'autres, son petit frère avait fui cette épidémie. Youssimi commençait à croire qu'il aurait dû faire de même, mais il était désormais trop tard.

En dépit des mesures prises pour éviter la contagion, Kamazuk presque entière souffrait. Après quelques semaines, le Roi Obérius de Kildhar avait interdit les rassemblements, annulé toute activité et mis en place des maisons de quarantaine dans certains secteurs de la Haute Ville, où la maladie avait d'abord frappé. Ces tentatives s'étaient rapidement avérées inutiles. Le mal s'était propagé, plus mortel que jamais, jusque dans les bas quartiers, où la plupart des gens n'avaient pas les moyens de s'offrir les services d'un guérisseur. Bien sûr, personne n'avait encore trouvé le remède, mais les potions proposées par les médecins parvenaient à apaiser certains symptômes. Le nombre de victimes continuait d'augmenter chaque jour. Lorsqu'il eut atteint les centaines, la capitale avait fermé ses portes.

Comme si cela n'était pas suffisant, depuis deux semaines, deux longues semaines, la cité était assiégée. Les rumeurs qui circulaient s'étaient avérées : l'Asapmy avait été trahie. Depuis l'intérieur, un individu avait informé les Gnomes du drame que vivait Kamazuk et les ennemis en avaient profité pour attaquer. Du jour au lendemain, les créatures avaient commencé à se rassembler sur le territoire asap. Après avoir ravagé les bourgs avoisinants, l'armée s'était massée aux portes de la capitale pour donner l'assaut. Les Gnomes menaient depuis des attaques quotidiennes et, désorganisés, les Asaps étaient pris au piège. Les seuls moyens d'entrer ou de sortir de la ville étaient ces passages secrets, connus de quelques élus, qui ne s'accorderaient certainement pas le droit de les emprunter. Ils n'étaient pas des lâches, après tout. Youssimi, lui, avait moins d'honneur. Il avait songé plus d'une fois à quitter son poste et à longer la plage, mais il ne tenait pas à se retrouver face à de sales Gnomes. Il en rôdait partout aux alentours. Youssimi les avait aperçus depuis les remparts, avant qu'on ne l'enferme dans ce damné passage. Ces monstres étaient hideux avec leurs visages prématurément ridés, aux nez déformés, aux yeux proéminents. Bien

que de petite taille, ils n'en étaient pas moins de redou-
tables guerriers, d'autant qu'ils étaient vicieux, se
réjouissant, semblait-il, de la vue du sang. Les Gnomes
avaient installé leur campement à une courte distance
de Kamazuk, dans les collines au sud-ouest de la ville,
mais surveillaient aussi les bois les plus près. Ils y
coupaient ce dont ils avaient besoin afin d'alimenter
leurs feux et y chassaient le gibier devant nourrir les
plus haut gradés de l'armée, ceux qui n'étaient pas
contraints à avaler la bouillie répugnante dont devaient
se contenter les simples soldats. Parmi les horribles
étendards que brandissaient les Gnomes, des peaux
de bêtes peintes de couleurs morbides ou des crânes
montés sur des piques, Youssimi avait aussi vu flotter
la bannière du traître asap qui avait joint leurs rangs.
Personne ne reconnaissait son emblème, un phénix
couronné doré sur un champ noir, mais les gens de
Kamazuk avaient vite appris à le craindre. Lorsque le
traître participait aux combats, les attaques étaient
plus structurées, les ennemis plus disciplinés.

Le savoir-faire de leur allié asap n'était pas la seule
cause du succès des Gnomes. Inexplicablement immu-
nisés contre l'épidémie, ceux-ci tiraient largement profit

des faiblesses de leurs victimes et causaient tous les jours un ravage dans leurs rangs déjà réduits par la maladie. À ce compte, le moral des troupes asapes était à son plus bas, surtout que le roi avait cessé de diriger les combats. On le disait sur son lit de mort. Ses sujets se savaient en train de perdre la bataille. La maladie, le manque d'effectif, le peu de stratégie, tout participait à déstabiliser la population. Cette peur grandissante avait même poussé certains à croire que les dieux avaient abandonné l'Asapmy, que Lefhenziä, la Déesse de la Guerre et des Souffrances, celle qui avait lancé l'épidémie sur Kamazuk, les avait punis pour de bon et protégeait plutôt les Gnomes.

Youssimi ne voulait plus penser à toute cette histoire.

Soudain, le mur du fond commença à se déplacer dans un bruit de tonnerre. Le garde se leva d'un bond, alerte, et dégaina. Lorsque la cloison de pierre fut complètement écartée, un jeune homme s'engagea dans l'ouverture. Youssimi lui mit aussitôt son épée sur la gorge.

— Que faites-vous ici ?

— Nous avons tenté une percée pour repousser cette vermine du mur, mais il y a eu un imprévu. Nous étions trop peu nombreux… Je suis le seul survivant et je suis blessé.

Sans baisser son arme, Youssimi tira l'arrivant sous la lumière de la torche afin de mieux voir son visage. Il s'agissait bien d'un Asap, vêtu comme un militaire. Il était grand, dépassant le garde d'une bonne tête, bien qu'il se tînt légèrement courbé, serrant la large blessure qui ouvrait son flan droit. Ses cheveux, en bataille, étaient d'un noir remarquable et ses yeux noisette, profonds comme un gouffre, brillaient d'une lueur intrépide. Son air assuré déstabilisa le garde.

Personne ne l'avait averti que les Asaps tenteraient une sortie. En revanche, Youssimi doutait que ses chefs eussent pris la peine de le mettre au courant si tel avait été le cas : on aurait fait confiance à son jugement. Cet homme était visiblement des leurs et gravement blessé, comment ne pas le croire ? Reportant son regard sur la plaie du soldat, Youssimi se trouva finalement chanceux d'avoir été contraint à ce poste de surveillance. Peut-être serait-il mort au combat ce jour-là ?

L'instant d'après, Youssimi Jastudeh gisait sur le sol, la gorge tranchée.

L'Allié essuya sa lame sur le tabard de sa victime et rengaina avant de s'emparer de la torche accrochée au mur. Il enjamba le corps du garde et s'enfonça dans le couloir.

Comment avait-il pu être réduit à se glisser dans ce minable passage secret pour rentrer, penaud, à Kantellän? Quelle honte! rageait le traître. Qu'allait-il se passer désormais? Si les Gnomes gagnaient — et s'ils suivaient le plan qu'il avait préparé à leur intention, ce serait le cas — ils prendraient sans attendre Kamazuk. Mais si l'Asapmy venait à remporter la victoire? Qu'adviendrait-il? Jamais Hs'an ne supporterait une telle défaite. Elle n'avait même pas pu accepter de recevoir les ordres d'un Asap jusqu'à la fin des combats. Certaine d'avoir vaincu, la générale des armées de l'Empereur Darkaldark avait voulu garder le pouvoir pour elle seule et lui avait tendu un piège. L'Allié savait depuis longtemps qu'elle avait l'intention de se débarrasser de lui, mais ne croyait pas qu'elle agirait si tôt. Il l'avait surestimée et souffrait maintenant de cette erreur. La guerrière n'était pas parvenue à l'abattre, mais l'avait tout de même blessé et il perdait beaucoup de sang. Il avait été forcé de fuir. S'il n'avait pas vaguement été au courant de l'existence de ce passage, il serait sans doute mort comme un paysan ou un chien, dans le déshonneur, l'échec. Il avait dû courir une longue distance et ses recherches désespérées pour trouver l'entrée secrète l'avaient épuisé. Pourtant, à aucun moment, il n'avait osé s'arrêter, de peur de ne jamais atteindre son but. Il devait se rendre à la ville. Il n'aurait ensuite qu'à faire croire qu'il avait été touché en se battant du côté des Asaps pour qu'on le laisse rencontrer un guérisseur.

Il espérait arriver bientôt au bout de ce tunnel.

Soudain, un éclair violet illumina le passage.

Un homme apparut à quelques mètres du blessé, qui ne laissa pas paraître sa surprise. Le vieillard avait les cheveux longs mais la barbe taillée de près et tenait un long bâton de bois, décoré de gravures et incrusté de pierres.

— Je me demandais combien de temps il vous faudrait encore pour découvrir la vérité, ironisa le traître. Peut-être devenez-vous trop vieux, Adalbald?

Le Mage de Kamazuk leva au ciel son regard de jais.

— Ne me prenez pas pour un imbécile, Anthony. Ou peut-être préférez-vous que je vous appelle l'Allié? Je sais que vous jouez dans notre dos depuis une éternité. Je ne suis pas intervenu afin de ne pas troubler le destin.

— Oh... Bien sûr! Le destin!

— Décidément, votre complicité avec Gnôrga Hs'an n'a pas amélioré votre caractère, jeune impudent. Depuis combien de temps dure cette machination? Cinq ans, je suppose. Cela concorderait avec le moment où vous avez perdu vos pouvoirs.

— Vous me décevez, répondit Anthony, l'air davantage ennuyé que déçu. J'osais croire que le plus puissant mage de Magz découvrirait bien avant un complot orchestré par un adolescent.

— Allons, je vous connais, vous auriez vite changé tous vos plans, si vous aviez douté que je les avais devinés.

— Pourquoi avoir préservé mon secret, alors? Vous espériez rester Grand Mage de Kamazuk sous le joug gnome? Je vous aurais gardé, voyons.

— Votre heure n'était pas encore arrivée...

— Je suppose que maintenant elle l'est. Vous allez me livrer aux autorités?

— Pas encore, échappa le mage, énigmatique. Sachez cependant que je vous garde à l'œil. D'ailleurs, était-ce bien nécessaire de mettre fin aux jours du pauvre garçon qui surveillait l'entrée? Il ne faisait que son devoir.

— Je n'avais pas le choix. J'ai inventé une histoire absurde pour qu'il me laisse passer. Il aurait fini par se rendre compte de mon mensonge et m'aurait sans doute accusé de traîtrise, lui. Vous savez, mis à part ceux qui se préoccupent du destin, c'est ce que feraient la plupart des gens.

Le sorcier soupira. Il posa une main noueuse sur l'épaule d'Anthony et l'invita à reprendre la marche. À son plus grand étonnement, le jeune homme obéit calmement. Après quelques minutes de silence, Adalbald reprit la parole:

— Il n'est pas trop tard pour délaisser les ténèbres, Anthony... Ne faites pas ce sourire présomptueux!

Le traître ne portait pas attention aux propos du vieillard, mais éprouvait tout de même de la curiosité. Qu'est-ce qui empêchait Adalbald de le dénoncer et quel était ce mystérieux destin?

— Aussitôt que nous aurons chassé ces monstres et réparé tous les dégâts que vous avez causés, vous reprendrez vos leçons en ma compagnie.

— C'est un vieux fou comme vous qui allez m'y forcer, j'imagine? répondit Anthony, poussant encore les limites de l'arrogance.

— Vous serez présent, et, croyez-moi, dans quelques semaines, vous me remercierez pour mes conseils. Maintenant, allez soigner cette blessure. Je tiens à vous voir défendre votre pays sur les remparts, de notre côté des remparts, dès demain.

Jamais il ne l'avouerait, mais, au fond de lui, Anthony savait que le mage avait raison.

2
GUÉRiSON

Quatre Asaps étaient engagés dans un triste couloir de pierre.

Le passage était étroit, forçant les aventuriers à avancer en file. Arme au poing, un grand blond marchait en tête, ses yeux rouges guettant le moindre mouvement. Il était suivi de près par un autre jeune homme, plus petit mais aussi large d'épaules, aux cheveux d'un bleu éclatant, qui ne cessait de lancer des regards derrière afin de s'assurer que leurs deux amies les accompagnaient toujours. Bien sûr, elles leur emboîtaient le pas, nerveuses.

Victorieux, ils revenaient tout juste d'une quête afin de trouver le remède magique à la maladie qui ravageait Kamazuk la Fière. Ils s'étaient attendus à être reçus en sauveurs, croyant leur aventure terminée, mais avaient plutôt eu la mauvaise surprise de trouver leur ville assiégée par les Gnomes. Les environs de la capitale asape étaient surveillés, mais, heureusement, la Princesse Moraggen connaissait un moyen de franchir les murailles sans se faire remarquer des envahisseurs. Discrètement, les héros s'étaient donc frayé un chemin loin des combats, longeant la plage de sable blanc, sous les falaises sur lesquelles s'élevait la cité.

La princesse avait trouvé l'entrée du passage secret sans trop de difficulté, mais y avait également découvert le cadavre d'un garde. Elle avait alors été saisie d'un vertige, qui n'avait rien à voir avec un sentiment de pitié pour le corps étendu à ses pieds. Qui avait tué cet homme? Les Gnomes avaient-ils pénétré les défenses de la ville? Les citadins avaient-ils été forcés de s'entasser dans la cour du château, attendant la fin? Alors que la jeune femme avançait dans le tunnel, ces questions se bousculaient encore dans son esprit, sans réponses.

— Moraggen, l'appela Kheldrik depuis l'avant, tu peux maintenant allumer une boule de feu.

Kheldrik était l'écuyer du Roi Obérius, le père de Moraggen. Son entraînement rigoureux lui avait appris à réfléchir froidement en tout temps, à analyser une situation pour en déceler tous les dangers potentiels. En entrant dans le tunnel, il avait interdit à son amie de les éclairer, de peur d'alerter ceux qui avaient mis fin aux jours du garde. Cependant, après un moment de marche dans les ténèbres, sans aucun autre indice d'une présence ennemie, l'écuyer avait jugé qu'il n'y avait plus de risque.

Voulant répondre à la demande de son ami, Moraggen se concentra pour canaliser la puissance de son Amulette d'Aether. Elle sentit bientôt l'énergie fluctuer dans son corps et la dirigea dans son bras, dans sa main, jusqu'à ce qu'elle parvienne à y faire briller une flamme.

Lorsque ses yeux se furent habitués à la lumière, la princesse observa ses compagnons. Kheldrik l'avait peut-être autorisée à les faire sortir de l'obscurité, mais n'avait pas rengainé son épée. Il semblait tendu. Et comment ne pas l'être? songeait Moraggen. Ils détenaient l'antidote, certes, mais n'avaient pas la moindre idée de ce qui adviendrait une fois qu'ils l'auraient administré à la population. Kamazuk n'en serait pas moins menacée par les Gnomes.

L'éclairage se fit plus vif et Moraggen remarqua que, de son côté, Elsabeth avait recouru à un sort pour faire briller son Capteur d'Ondes. La petite pierre reposait à plat sur sa paume et diffusait une lumière bleue. La princesse avait maintes fois vue sa meilleure amie accomplir des tours beaucoup plus spectaculaires, mais ce simple truc était définitivement des plus utiles. Avoir une divinus à ses côtés était un rare et précieux avantage. Après tout, seulement deux personnes par génération avaient le pouvoir d'interpréter la volonté des dieux.

Le deuxième garçon paraissait anxieux lui aussi, mais lorsqu'il prit la parole, ce fut d'un ton léger :

— Peut-être que nous ferions mieux de récapituler les détails du plan ?

— Tu as raison, Vikh, dit Elsabeth. Quand nous sortirons d'ici, il faudra agir vite.

Il avait été difficile d'établir un plan d'action, puisque Moraggen ignorait combien de temps ils auraient à marcher dans le passage. Elle savait cependant qu'ils finiraient par aboutir quelque part dans les bas quartiers. Alors, ils se sépareraient. Les jeunes hommes resteraient sur place. Les filles monteraient au plus vite à la Haute Ville puis entreraient dans Kantellän, le palais royal. Ils comptaient se porter au secours de la population en utilisant le système d'aqueduc. Ils s'étaient d'abord inquiétés de savoir si l'antidote, une potion composée de fleurs et d'eau sacrée, perdrait son efficacité une fois mêlé à une eau ordinaire, mais Elsabeth avait fait valoir qu'au contraire, ce contact purifierait les sources de la ville, créant autant de remède que nécessaire. Une fois leur tâche accomplie, Vikh et Kheldrik iraient directement sur les remparts offrir leur aide aux défenseurs. La divinus avait voulu les imiter, mais Kheldrik s'y était vivement opposé, prétendant qu'elle devrait rester aux côtés de Moraggen afin d'assurer sa sécurité. Le ton sérieux qu'avait pris l'écuyer avait rapidement changé le point de vue d'Elsabeth et avait renversé la situation. Ce n'était plus son ami qui l'éloignait des combats ; c'était un futur chevalier qui venait de lui confier la protection de l'unique héritière du trône.

Le tunnel s'était arrêté subitement.

Levant les yeux au plafond, Kheldrik découvrit une trappe, qu'il poussa d'un coup sec. Il passa le premier. Vikh fit la courte échelle aux jeunes femmes afin de les aider à se hisser, avant de monter lui-même.

Ils se retrouvèrent ainsi dans une pièce sombre et exiguë, sentant la poussière, l'humidité et l'alcool. L'odeur provenait d'énormes tonneaux entassés le long d'un mur. Des étagères remplies de diverses denrées tapissaient les autres. Sur une table au centre de la pièce était posé ce qui semblait être des livres de comptes et une petite cassette de bois rouge. Au-dessus de leurs têtes, un escalier aux marches grinçantes montait jusqu'à une porte entrouverte. Les quatre amis la franchirent sans plus attendre.

Ils accédèrent à ce qui pourrait être la salle commune d'une auberge de piètre qualité. On entendait du bruit provenant des cuisines, mais personne n'était attablé. Un autre escalier, recouvert d'un tapis rongé par les mites, menait au deuxième.

— Où pouvons-nous donc nous trouver ? s'étonna Moraggen, qui, même pendant son récent périple, n'avait jamais fréquenté un tel établissement.

— Tout près des docks, répondit Vikh. Chez Madame Bëchen Praod. Je me demande pourquoi ce passage mène à un bordel des bas quartiers.

— Oui, et moi je me demande bien comment il se fait que tu le connaisses, ce bordel des bas quartiers, déclara Elsabeth.

Vikh éclata de rire et se dirigea vers la sortie, suivi de ses amis.

— J'y ai déjà pris une bière avec mon cousin. Tu sais, Winnoc, le marin ?

— Revenons plutôt aux choses sérieuses, dit Khel-drik. C'est ici que l'on se sépare. Vous savez ce que vous avez à faire...

Après un moment de silence, pendant lequel ils distinguèrent nettement le vacarme des combats, les jeunes gens se serrèrent dans les bras l'un l'autre et se souhaitèrent bonne chance. Moraggen ressentait un vide au niveau de son ventre, qu'elle reconnut comme de la peur. C'était presque fini. Ils sauraient bientôt s'ils avaient réussi pour de bon et, pourtant, elle était rongée par l'angoisse. Indépendamment de leurs efforts, Kamazuk allait peut-être tomber. Elsabeth lui prit la main et l'entraîna dans une rue pavée de pierres grises, qui montait en pente. La princesse jeta un regard par-dessus son épaule; déjà, les garçons avaient tourné le coin.

Au fur et à mesure qu'elles traversaient la ville, Moraggen et Elsabeth s'étonnaient du calme qui régnait dans les rues. De toute évidence, les habitants s'étaient cloîtrés dans leurs maisons.

—Il faut les avertir que nous ramenons l'antidote! s'écria Moraggen. Nous devons les aider sans plus attendre!

— Vikh et Kheldrik s'occupent déjà de ces quartiers. Hâtons-nous et gagnons la Haute Ville. C'est là-bas que nous serons utiles.

Moraggen opina de la tête, contrôlant son empressement.

Près d'une heure plus tard, ayant traversé toute la cité, les deux jeunes femmes se retrouvèrent finalement dans les quartiers bourgeois de Kamazuk. À mi-chemin entre la place du Marché et les portes de Kantellän, elles s'arrêtèrent. Elles fouillèrent dans leurs besaces pour en tirer le remède. Elsabeth en profita pour se munir de son Capteur d'Ondes, objet dont elle dépendait afin d'utiliser ses pouvoirs magiques. La petite pierre grise n'avait rien de bien impressionnant, mais la jeune divinus en était satisfaite: elle trouvait son Capteur d'Ondes beaucoup plus commode que le long Bâton de Puissance d'Adalbald le Mage. Elle posa la pierre sur son front et le symbole des divinus y apparut, une étoile blanche entre deux croissants de lune. Les bourgeois sauraient ainsi qu'elles représentaient les dieux et n'auraient d'autre choix que de leur accorder leur confiance.

Les mains moites, le cœur battant la chamade, Moraggen vida une gourde contenant l'antidote dans le puits central du quartier.

C'était fait.

Les jeunes femmes échangèrent un regard. Les yeux turquoise d'Elsabeth laissaient transparaître une grande confiance, ce qui rassura son amie. Leur mission était réussie, que craignait-elle donc?

La divinus se mit alors à appeler la population:

«Rassemblez-vous sur la grande place, sur ordre du roi!».

Peu à peu, plusieurs bourgeois, curieux, mais inquiets, commencèrent à quitter leurs demeures.

— Faites sortir vos malades, commandait Elsabeth. Leurs souffrances achèvent. Nous avons le remède! Si vous ne nous croyez pas, buvez simplement une gorgée de l'eau de cette gourde.

Les citadins paraissaient soupçonneux. Était-ce encore une mauvaise blague ou une nouvelle promotion d'un charlatan souhaitant vanter sa concoction? C'est alors que l'on vit le signe brillant sur le front d'Elsabeth et que l'on reconnut la Princesse Moraggen. Les rumeurs étaient donc fondées...

Un homme, pâle comme la mort et tremblant comme une feuille, s'avança. Il avait à peine les forces de saisir la bouteille que lui tendait la divinus. Pourtant, dès qu'il l'eut portée à ses lèvres, il sembla retrouver des couleurs. Sa respiration, d'abord sifflante, se fit régulière, profonde même.

Un grand tumulte s'éleva de la foule. Moraggen elle-même poussa un soupir de soulagement. De quoi aurait-elle eu l'air si l'antidote n'avait pas agi ?

— Voyez, nous disions vrai, fit Elsabeth, triomphante.

— Nous avons déjà versé une gourde pleine dans le puits situé au centre de la place. L'eau de tout le secteur a été purifiée et peut vous soulager, expliqua la princesse. Nos deux amis se sont occupés de la Basse Ville et nous, nous montons à l'instant apporter le remède aux gens de Kantellän.

— Nous sommes sauvés ! clama avec exaltation l'homme qui venait d'être guéri. Annoncez la nouvelle à tous !

Sous les vivats des bourgeois, les filles se dirigèrent dans une course effrénée vers le palais. Ces acclamations furent pourtant bien brèves. Chacun avait un membre de sa famille à avertir, à soigner. Les hommes étaient pressés de prendre les armes, afin de défendre leur ville contre l'envahisseur.

Moraggen s'arrêta un moment pour observer son peuple. Il s'agitait. La ville, qui, il y a quelques instants à peine, semblait sans vie, était parcourue d'une énergie nouvelle.

— Allons donc voir ton père, Moraggen, suggéra Elsabeth. Qu'il prenne les choses en main pour de bon!

Les deux amies frappaient violemment sur les grandes portes de la cour de Kantellän.

Un judas glissa sur la surface du bois et elles virent apparaître la mine grincheuse et fripée d'un garde.

— Annoncez-vous! réclama-t-il, autoritaire.

— Ouvrez immédiatement ces portes! C'est la Princesse Moraggen qui vous l'ordonne.

L'homme éclata d'un rire triste.

— T'entends ça, Erwin? ricana le vieux en refermant la trappe. La Princesse Moraggen...

Moraggen lança un regard désespéré à Elsabeth qui continuait de tambouriner à force coups de poing sur les portes. La princesse s'agenouilla, déposant son sac, et se mit à y chercher quelque chose. À l'intérieur d'une bourse, cachée dans une minuscule pochette, se trouvait une chevalière en or frappée des armoiries de sa famille: un soleil aux multiples rayons. Rapidement, elle la passa à son doigt et enjoignit le garde de vérifier leur identité. Toujours moqueur, il les toisa par l'ouverture. Moraggen lui mit alors sa main sous le nez.

— Voyez par vous-même, dit-elle.

Le garde rapprocha la bague de son visage. Son regard se promena ensuite entre la main de la princesse et ses yeux vairons. Un œil bleu et l'autre violet, de longs cheveux roux, le sceau du roi au doigt, ce ne pouvait être que l'héritière! Il remarqua finalement le symbole, à demi caché par des mèches vert tendre, brillant sur le front de l'autre fille, celle qui portait des vêtements d'homme. La divinus! Il poussa alors une exclamation étonnée et quelques jurons, puis fit ouvrir les portes, avant de se répandre en excuses.

— Où sont regroupés les malades? demanda avec autorité Moraggen.

— Les plus atteints sont dans leurs appartements respectifs, Votre Altesse. Les autres vaquent à leurs occupations, répondit le vieil homme, encore surpris.

— Qu'on les rassemble immédiatement! Nous allons leur administrer l'antidote.

Sans donner plus d'explications, les jeunes femmes s'élancèrent à travers la cour, les claquements secs de leurs bottes résonnant sur la pierre.

Moraggen, suivie de son amie, passa nerveusement la porte des appartements de son père.

Les volets fermés plongeaient la pièce dans une désolante pénombre. Des serviteurs étaient postés autour du lit à baldaquin sur lequel était étendu le roi. Le silence était tel que l'on n'entendait que le souffle creux du monarque.

— Père? osa Moraggen, à voix basse.

Ayant reconnu la voix de sa fille, Obérius fut pris d'une violente quinte de toux. Un guérisseur alla prendre rapidement une potion sur une table non loin.

— Calmez-vous, Majesté, intervint-il. L'agitation ne vous va pas, reposez-vous.

— Vous l'avez entendu... cette fois, marmonna le seigneur, presque inaudible. Je ne suis pas... fou.

Le malade lutta pour se redresser, afin de scruter l'ensemble de la pièce. Ce fut le serviteur qui s'avançait pour l'aider qui aperçut le premier Moraggen. Le temps sembla s'arrêter. Le roi s'étouffa de nouveau et sa fille se précipita à son chevet. Posant par terre son lourd sac de voyage recouvert de la poussière des routes asapes, la princesse tira sa gourde de la poche avant.

— Moraggen... Je croyais bien ne plus... jamais te re...

La jeune femme coupa la parole à son père et lui donna à boire. Le résultat fut immédiat. Le Roi Obérius, qui une seconde plus tôt, pâle, cerné, avait l'air d'un moribond, semblait soudain frais comme s'éveillant d'un sommeil réparateur. Il se redressa pour de bon, serrant sa fille dans ses bras. Elsabeth, qui s'était approchée sur les traces de son amie, eut aussi droit à une accolade d'Obérius.

— Vous avez réussi! s'écria-t-il. Je suis tellement fier de vous! L'Asapmy toute entière doit être fière de vous!

— Nous avons déjà distribué l'antidote au peuple, mon roi, annonça Elsabeth. L'eau de toute la ville est purifiée, il ne reste plus qu'à répandre la nouvelle et à donner l'ordre aux hommes de se rendre au combat.

— Vous entendez? se réjouit le monarque en s'adressant à ceux qui l'avaient veillé durant sa maladie. Ces enfants nous ont sauvés!

Un serviteur alla ouvrir les volets, laissant entrer la lumière de fin d'après-midi.

3
Rencontre

Environ un mois s'était écoulé depuis la bataille et Kamazuk la Fière était de nouveau fourmillante de vie.

La semaine suivant le retour des quatre héros, les Asaps avaient forcé leurs ennemis à se replier dans les collines environnant la ville. Puisque les Gnomes n'avaient pas réussi à franchir les murailles, les dommages n'étaient pas trop nombreux. Déjà, la reconstruction des bâtiments achevait. Aussi en forme que s'il n'avait jamais frôlé la mort, le Roi Obérius dirigeait d'une main de maître toutes les opérations. Afin d'assurer la sécurité de son peuple, il avait renforcé les défenses des frontières et envoyé un régiment en campagne, qui guettait les actions du camp gnome, garantissant que la capitale ne serait plus jamais surprise. L'armée asape achevait de se rassembler; des messagers avaient quitté l'Asapmy afin de demander aux pays alliés s'ils étaient en mesure d'offrir leur aide si besoin était. Rien ne laissait croire que les Gnomes prévoyaient une autre offensive dans l'immédiat, puisque leurs ennemis étaient maintenant en mesure de réagir, mais les Asaps se préparaient à tout. Obérius se déclarait confiant de pouvoir gagner cette nouvelle guerre.

Dès que possible, Moraggen, Kheldrik, Vikh et Elsabeth avaient été convoqués auprès du roi et de ses conseillers. Dans la vaste Salle du Conseil de Kantellän, ils avaient raconté en détail leur voyage à travers Magz, depuis le moment où ils avaient pris la décision de quitter la cité jusqu'à la façon dont ils y étaient revenus malgré le siège. Tous avaient été grandement impressionnés par leur histoire, qualifiée de légendaire. Jusque dans la Basse Ville, les ménestrels chantaient à présent leurs exploits.

Certains moments de leur aventure avaient été plus difficiles à partager. Moraggen avait fondu en larmes quand elle avait évoqué leur séjour dans la forêt de l'Aurore, où ils avaient rencontré Meavy, la sœur aînée d'Obérius et l'héritière légitime du trône asap. Kheldrik avait alors pris la relève, expliquant de façon plus détachée la mort tragique de la princesse perdue. Ces informations avaient grandement troublé l'auditoire. Moraggen s'y attendait. Elle avait eu du mal à supporter l'idée que, déclarée morte depuis près de trente ans, Meavy avait finalement reparu pour s'éteindre devant leurs yeux. Obérius avait finalement décrété un deuil national d'une semaine en l'honneur de sa sœur.

Une fois leur récit terminé, le roi s'était levé. Au nom de l'Asapmy, il avait longtemps félicité les quatre jeunes gens et avait offert à chacun d'importantes récompenses.

Pour la qualité des services rendus à son pays, et puisque Kheldrik avait plus que prouvé sa valeur, Obérius mettait immédiatement un terme à l'apprentissage de son écuyer. Il serait adoubé dès la prochaine pleine lune, comme le voulait la tradition, et recevrait une petite terre, à une journée à cheval de Kamazuk, au bord de l'océan Sans Fin.

Du même geste, le roi avait offert un fief à Vikh mais, honnête, celui-ci avait déclaré qu'il serait un bien triste seigneur, n'étant pas fait pour la politique. Ayant sans doute pressenti une réponse négative, Obérius avait subséquemment invité le jeune homme et sa famille à déménager dans la Haute Ville. Le roi faisait déjà affaire avec Wilhem Dummkopf, le père de Vikh, et savait que ce dernier terminerait bientôt sa formation. Lorsque cela serait le cas, il deviendrait officiellement Forgeron du Roi et recevrait le mandat d'équiper les armées asapes, tâche exigeante mais très bien rémunérée. Vikh avait aussitôt accepté la deuxième proposition, content d'apporter cet honneur à sa famille.

Puisqu'elle devait encore parfaire son éducation de divinus, Elsabeth resterait également dans la capitale. Cependant, le roi lui avait enfin accordé les honneurs lui revenant, mais qui lui avaient été refusés jusqu'alors à cause de son âge. Elle siègerait au Conseil et transmettrait ainsi à ses membres la volonté des dieux au sujet des différentes affaires d'État. Savath, Grand Prêtre de Kamazuk, qui avait précédemment exercé cette charge, accepta difficilement d'être supplanté par la divinus.

Enfin, pour féliciter sa fille, le monarque n'avait trouvé pour le moment que de simples formalités. Le prochain Bal de la Pleine Lune serait bien sûr donné en son honneur et on y ferait un discours pour remercier les héros. Moraggen n'attendait aucune récompense, mais convint avec son père que celui-ci lui devait une faveur.

La vie avait fini par reprendre son cours normal et, encore peu touchée par la guerre en cours, Moraggen avait retrouvé sa routine.

Au début, bien que complètement déstabilisée, elle avait été très heureuse de revoir ses amis et sa famille, particulièrement sa nourrice, Tilly. Cette dernière s'était fait un sang d'encre en l'absence de sa pupille, mais n'avait jamais désespéré.

Lorsqu'elle l'avait revue, le soir de son retour, Tilly avait éclaté en sanglots et l'avait serrée tendrement contre elle. En reculant pour l'observer, elle avait fait une mine effarée. C'est alors que la princesse avait pris conscience de l'état pitoyable de ses cheveux, qui avaient perdu leur couleur vive pour un roux sans brillance. Puis, elle regarda ses mains, noires de saleté, ses ongles cassés. Alors qu'elle se retrouvait entourée de dames toutes vêtues à la dernière mode, ses vête-ments, sentant la terre et la sueur, paraissaient bien peu flatteurs. Devinant les pensées de sa protégée, qui rougissait de honte, Tilly avait ordonné qu'on livre un repas chaud à ses appartements, où les deux femmes s'étaient retirées. La nourrice avait fait remplir un bain, parfumé de fleurs et d'herbes, dans lequel Moraggen s'était glissée avec satisfaction. Lorsqu'elle en était sortie, elle avait revêtu sa robe de nuit, légère et confortable, et était allée s'asseoir à une petite table, où son dîner l'attendait. Jamais elle n'avait autant apprécié la vie de château.

Un mois avait passé et Moraggen s'observait maintenant dans la glace. Elle avait vite repris l'habitude du luxe, comme tout le reste, mais son voyage avait bouleversé quelque chose en elle. Depuis son retour, même si elle avait appris à profiter de sa chance, elle mourait d'ennui. Pendant de longues heures, elle pouvait marcher dans les jardins avec Elsabeth et parler de ce qu'elles avaient fait, des paysages qu'elles avaient vus, des créatures et des gens qu'elles avaient rencontrés.

Ce matin-là, un profond sentiment de nostalgie l'habitait. Elle essaya d'oublier à quel point elle se sentait superficielle et passa une robe longue, de deux tons de violet, dont les manches s'arrêtaient au niveau des avant-bras. Une servante natta ses cheveux, dans lesquels elle mêla un large ruban doré, puis la coiffa d'un diadème serti d'un diamant. Moraggen jeta un coup d'œil distrait au miroir et quitta sa chambre pour la tour d'Adalbald, où elle était attendue.

Lorsqu'elle franchit la porte des appartements du mage, elle s'étonna de ne pas le retrouver dans son fauteuil, achevant la lecture d'un quelconque traité, comme elle y était habituée. Après avoir balayé le bureau du regard, et constaté qu'Adalbald était absent, Moraggen décida d'attendre un moment. Son maître était certainement retenu ailleurs par l'attention que réclamaient les récents évènements. C'est alors que la princesse entendit du bruit provenant de l'étage. Elle tourna la tête vers l'escalier en colimaçon qui montait jusqu'au laboratoire d'Adalbald. Jamais Moraggen n'y avait mis les pieds, cela lui était interdit. Elle regarda autour d'elle. Le mage ne l'avait sans doute pas entendue arriver et était resté à l'étage. Si la princesse allait le chercher, il ne pourrait lui en vouloir...

Elle gravit les marches de marbre blanc et se retrouva dans une vaste pièce, éclairée par la lumière du soleil passant au travers d'immenses fenêtres, d'où l'on ne voyait que le ciel et l'océan. Des étagères de bois, garnies d'une quantité étonnamment variée de fioles, de bouteilles, de flacons et de pots, s'alignaient sur les murs tapissés de vieilles icônes de divinités et de symboles alchimiques. L'odeur de différentes herbes se confondait dans l'air, même si les volets grands ouverts laissaient monter une brise marine.

Le Mage de Kamazuk ne se trouvait pas dans la pièce. En revanche, assis à une table, un jeune homme parcourait un énorme grimoire relié de cuir vert. Trop concentré, il ne s'était pas encore aperçu que la princesse était entrée. Moraggen fut tout de suite frappée par sa beauté. Il n'était pas aussi musclé que Vikh ou Kheldrik, mais il avait les épaules larges, la taille fine et paraissait très grand. Ses cheveux d'un noir de jais étaient décoiffés. La princesse aurait aimé détailler sa figure, elle ne le voyait que de profil.

Fascinée, elle le regarda mélanger avec minutie le contenu d'une fiole à un liquide d'un rouge très foncé. En entrant en contact avec cet ingrédient, la préparation devint aussi claire que de l'eau. Le jeune homme compléta la potion en y ajoutant une poudre scintillante. La mixture devint effervescente, puis d'énormes bulles éclatèrent à la surface. Satisfait, il fit un charmant sourire en coin et embouteilla sa curieuse concoction avant d'aller la poser avec d'autres flacons à l'intérieur d'une armoire de bois clair.

— Puis-je vous être utile, Altesse? lui demanda-t-il, faisant volte-face.

Moraggen sursauta, elle ne le croyait pas conscient de sa présence et se sentit mal à l'aise d'avoir ainsi épié un inconnu. Elle baissa la tête, fixant obstinément ses escarpins, comme chaque fois qu'elle se sentait ridicule ou se faisait réprimander.

— Qui êtes-vous? balbutia-t-elle, déconcertée.

— Je suis Anthony de Nathandel, l'apprenti d'Adalbald.

J'ignorais qu'Adalbald avait un apprenti, songea Morragen. Elle croyait connaître tous les membres de la cour, comment ne l'avait-elle jamais remarqué? Adalbald ne lui aurait-il pas présenté son apprenti, s'il en avait eu un? Elle releva la tête, cherchant à se persuader qu'elle avait déjà rencontré ce jeune homme. Elle croisa son regard.

Moraggen sentit son cœur manquer un battement, puis repartir à toute vitesse. Elle était pétrifiée. Elle avait cessé de respirer. Elle avait cessé de penser. Sa tête semblait lourde, brûlante. Autour de lui, le monde était flou, comme s'il était entouré de brume. La princesse savait qu'il en serait toujours ainsi. Désormais, lui seul comptait.

Anthony venait d'être foudroyé. Il était tremblant, tenait à peine debout, et se sentait incapable d'esquisser le moindre geste, ni même de détourner les yeux. Il était envahi d'un sentiment profond, grave. Inévitable. Il n'était plus rien s'il était loin d'elle.

Le temps reprit son cours. Gênés par le silence qui les avait dominés, les jeunes gens poursuivirent leur conversation.

— Anthony de Nathandel? Le fils de l'Intendant Poléus et de Dame Anaëlle? dit Moraggen, se rendant compte qu'elle le connaissait réellement.

— Je comprends que vous ne m'ayez pas reconnu, répondit-il. Il doit bien s'être écoulé une décennie depuis la dernière fois où nous nous sommes vus.

Effectivement, de longues années avaient passé. Lorsque Moraggen était encore une jeune enfant, avant même qu'elle ne fasse la connaissance d'Elsabeth, Kheldrik et Vikh, elle avait l'habitude de passer ses matinées avec Dame Anaëlle, qui était en charge de son éducation princière. Cela n'avait rien d'étonnant, Anaëlle était considérée comme la première dame de l'Asapmy, et ce, bien que Tirania soit la reine légitime. La femme de l'intendant était connue à travers tout le royaume comme un modèle de vertu et de bonté. Elle était à l'écoute des citoyens et n'avait jamais refusé de l'aide à celui qui en réclamait. À l'époque, l'Asapmy était encore en guerre contre les Gnomes, qui avaient gagné une grande partie du territoire. Anaëlle faisait preuve de beaucoup de courage et s'efforçait d'apporter de l'espoir aux Asaps. Elle aidait elle-même à la reconstruction de villages détruits par les combats et réconfortait par de belles paroles les cœurs de tous. De plus, les dieux l'avaient faite belle comme le jour. Elle était en outre une femme cultivée, appréciant l'art. Pour toutes ces raisons, Obérius lui avait confié sa fille. Dame Anaëlle prenait donc grand soin de transmettre ses connaissances à la jeune princesse, qu'elle aimait comme son propre enfant. Elle lui enseignait l'histoire de Magz, la religion, ainsi que quelques bases de magie, mais de manière presque incontournable, leurs rencontres finissaient en de longues promenades dans les jardins de Kantellän, où Moraggen apprenait le nom des fleurs. Parfois, des ménestrels s'installaient auprès d'elles et jouaient des airs connus qu'Anaëlle chantait avec la petite fille. Anthony les accompagnait. Les deux enfants finissaient souvent par se chamailler et devaient être séparés par des suivantes moqueuses. Avec le temps, les journées où le garçon, un peu plus âgé que la princesse, se joignait aux femmes se firent rares. Il devait recevoir une tout autre éducation, afin de bientôt devenir l'écuyer de son oncle, le Duc de Kuvaldin. Puis, à la mort tragique d'Anaëlle, Moraggen le perdit de vue pour de bon.

Le décès d'Anaëlle de Nathandel avait été un choc pour toute la population. Alors qu'elle revenait d'une visite dans un village côtier récemment attaqué par les Gnomes, l'escorte de la première dame s'était laissé prendre dans une embuscade au détour de la Grand Route. Les ennemis avaient vaincu, emportant dans l'Au-Delà l'âme pure d'Anaëlle. Comme on le faisait à la mort d'un membre de la famille royale, une semaine de deuil avait été ordonnée. Moraggen avait toujours ignoré ce qui s'était passé ensuite. Aujourd'hui, elle était résolue à poser la question qui lui brûlait les lèvres depuis tout ce temps.

— Qu'est-il vraiment arrivé lorsque Dame Anaëlle est décédée? Je ne vous ai plus jamais revu.

— Après cet événement, mon père était dévasté et, avec la guerre qui le préoccupait déjà, n'était pas en état de s'occuper d'un enfant. Je suis donc entré un peu plus tôt que prévu au service de mon oncle. J'ai passé quatre ans à Kuvaldin avant que la ville ne soit finalement assiégée par les Gnomes. Alors qu'elle tentait de repousser l'ennemi, la compagnie de mon oncle fut défaite. J'étais le seul survivant. On m'a ensuite renvoyé à Kamazuk, où Adalbald décida de faire de moi son apprenti.

Moraggen, pourtant étonnée, n'écoutait qu'à moitié son récit. Littéralement hypnotisée par ce jeune homme, elle n'arrivait pas à le quitter des yeux, étudiant ses moindres traits. La pâleur de sa peau presque blanche était accentuée par le fait qu'il était entièrement vêtu de noir, simplement d'ailleurs, plus à la façon d'un militaire que d'un prince. Elle remarqua sa mâchoire carrée, son nez droit et la fine cicatrice barrant l'une de ses joues, qui, si elle aurait dû le défigurer, ajoutait plutôt à son charme. Ses yeux, sombres et pourtant éclatants, laissaient croire à la princesse qu'elle pourrait s'égarer pour l'éternité dans leur profondeur. Alors qu'elle l'observait, Anthony lui parlait d'un ton décontracté, souriant du même demi-sourire qui l'avait fait fondre un moment plus tôt. Quand donc? Une éternité venait de s'écouler. Le temps n'avait plus aucun sens.

Anthony s'approcha d'elle.

— C'est un plaisir de vous revoir, Votre Altesse, dit-il, baisant la main de Moraggen. Maintenant, avec votre permission, je devrais me remettre à la tâche. Adalbald m'a enterré sous une pile de travaux et tout doit être terminé avant son retour.

— Puis-je vous apporter mon aide? Mes leçons sont apparemment annulées, je n'ai donc rien de plus utile à faire.

— Cela ne sera pas de refus, Majesté. Il me reste une potion spécialement compliquée à préparer. À deux, nous terminerons rapidement. Cela nous laissera tout l'après-midi libre, nous pourrions en profiter pour refaire connaissance.

Anthony n'arrivait pas à croire ce qui était en train de se passer. Venait-il vraiment de proposer à la Princesse Moraggen de lui consacrer une partie de sa journée? Il refusait d'admettre la nature des sentiments qui le dévoraient. C'était impossible. Une partie de lui aurait voulu fuir, loin, empêcher cette atrocité, tandis qu'une autre, plus forte, le poussait à agir. Jamais il n'avait été aussi dérouté. Il observait la jeune femme devant lui, incapable de contrôler le fil de ses pensées.

Elle le rendait fou. Tout chez elle lui faisait perdre la tête. Sa fine taille, ses frêles épaules, son visage angélique constellé de quelques taches de rousseur, ses longs cheveux rouges, ses yeux vairons si particuliers, ses lèvres juste assez pulpeuses, qu'il mourait d'envie d'embrasser...

Reprenant ses esprits, Anthony trouva dans le grimoire du mage la page où était notée la liste des ingrédients. Moraggen ne connaissait presque aucun d'entre eux, ce qui provoqua à plusieurs reprises des éclats de rire lorsque l'apprenti envoya la jeune fille les chercher sur les tablettes. Bien vite, certains éléments essentiels à la préparation de la potion vinrent à manquer. Ayant prévu la chose, Adalbald avait laissé un mot et quelques pièces d'argent, demandant à son apprenti d'aller refaire leurs provisions chez un apothicaire de la Haute Ville.

La réalisation de la potion exigeait plusieurs étapes. Pour la première, ils disposaient déjà de tous les ingrédients nécessaires, qui devaient d'ailleurs être longuement portés à ébullition. Les jeunes gens avaient ainsi le temps de descendre faire leurs emplettes à Kamazuk avant de procéder à la suivante. Rapidement, avant de partir, Anthony jeta une douzaine de différentes herbes, une pincée d'un sel coloré et trois plumes blanches dans l'immense chaudron en fonte, suspendu au-dessus d'un âtre, où Moraggen venait d'allumer un feu. Puis, heureux d'avoir un prétexte pour sortir du laboratoire, les élèves d'Adalbald quittèrent Kantellän, discutant de choses et d'autres.

4

LE BAL
DE LA PLEINE LUNE

M oraggen martelait de coups la porte des appartements d'Elsabeth.

— Ouvre-moi! Tu ne croiras pas ce que j'ai à te raconter!

La porte pivota sur elle-même et la princesse se précipita à l'intérieur.

Les appartements de la divinus, bien que moins luxueux que ceux de sa meilleure amie, étaient somptueusement décorés. À cette heure tardive, les rideaux du petit salon dans lequel entrait Moraggen étaient tirés. La pièce était éclairée par des lanternes de verre coloré, projetant une lumière chaude. Les murs aux tentures rouges et violettes, de même que les fauteuils confortables, provenant visiblement des îles du sud, et placés près d'une table basse de bois travaillé, participaient à créer une ambiance intime, apaisante et exotique. Au fond, derrière des voiles de taffetas, se trouvait la chambre d'Elsabeth. Moraggen les écarta d'un coup sec.

La divinus flottait au-dessus de son lit, allongée, les yeux clos.

— J'espère que tu as une bonne raison de me déranger pendant ma méditation, Moraggen.

— Elsie, je viens de rencontrer l'amour de ma vie!

Elsabeth retomba brusquement sur son lit et la princesse la rejoignit en bondissant. Après un instant partagé de rires enthousiastes, la divinus lança un coussin à son amie, exigeant des explications.

— Il s'appelle Anthony de Nathandel et il sera mon cavalier pour le bal! déclara la princesse, provoquant de nouveau une violente crise de gloussements.

— Que s'est-il passé? Qui est-il? Explique-moi tout! exigea Elsabeth.

Sans plus se faire prier, Moraggen raconta sa journée à la divinus, prenant soin de n'omettre aucun détail. Une fois les courses pour Adalbald terminées, les jeunes gens avaient choisi de continuer de flâner au Marché plutôt que de remonter au palais. C'est là qu'Anthony l'avait invitée au bal.

— Je suis tellement contente pour toi, Moraggen, lui dit Elsabeth, la serrant dans ses bras. Tu méritais bien que quelque chose d'heureux t'arrive, après toutes les épreuves que nous avons traversées. Mais quand tu dis «l'amour de ta vie», tu ne crois pas exagérer un peu?

— Même pas. Je te le jure, jamais je n'ai ressenti quelque chose de semblable. Je sais que ça paraît complètement fou, je sais que j'ai l'air ridicule, mais j'ai l'impression d'avoir trouvé un sens à ma vie. Je...

Elle s'arrêta, remarquant qu'Elsabeth souriait d'un air entendu.

— Qu'y a-t-il? demanda la princesse, piquée.

— Rien, répondit aussitôt son amie. Je te trouve mignonne. Alors, quand vais-je le rencontrer?

❧ ❧ ❧

Quelques jours plus tard, Elsabeth et Moraggen étaient réunies dans les appartements de cette dernière où elles terminaient leur toilette pour le bal.

Il avait fallu une bonne heure de persuasion, de même que les efforts conjugués de Moraggen et de Tilly, pour que la divinus consente à essayer l'ensemble que son amie lui avait secrètement fait tailler chez l'un des meilleurs habilleurs de la cour. Elsabeth avait l'habitude de porter des chemises amples, sur lesquelles elle ajoutait parfois un bustier, et des pantalons rentrés dans de longues bottes. La princesse se souvenait de l'avoir à la rigueur déjà vue en jupe pour une cérémonie officielle, mais jamais dans une vraie robe de soirée.

Lorsque Elsabeth s'était aperçue dans la glace, accoutrée de son «déguisement de prêtresse» (dédaigneuse, c'est ainsi qu'elle avait désigné la toilette), elle avait éclaté de rire. Pourtant, ses vêtements lui seyaient à ravir. La robe d'un gris charbonneux était faite d'un tissu léger et brillant, tout en mouvement et en détail. Une large ceinture argentée, portée à la taille, complétait la tenue.

Devant les nombreux compliments servis par ses amies, et renchéris par ceux de toutes les dames de chambre de Moraggen, Elsabeth s'obligea au calme. Elle fit briller sur son front la marque des divinus et parut soudainement plus confiante.

Moraggen sourit, satisfaite.

Elle-même était vêtue d'une robe de brocart vert émeraude, piquée de fils d'or, décolletée de façon à découvrir ses épaules. Suivant la dernière mode, particulièrement audacieuse, ses bras étaient également nus. Ses cheveux étaient remontés en une coiffure haute, dont tombaient quelques boucles rousses. Elle portait aussi sa couronne la plus officielle, en or finement ouvragé. Ses yeux et ses lèvres étaient discrètement fardés.

Alors que des servantes coiffaient et maquillaient à son tour Elsabeth, les deux jeunes femmes discutaient.

— Que penses-tu de celles-ci? demanda la princesse, présentant à son amie une paire de boucles d'oreilles en jais.

— Non, je ne les trouve pas assez discrètes. Je préfère celles en argent.

— Tant pis... Oh! Elsie, j'ai tellement hâte de le revoir! Depuis une semaine, je ne pense qu'à lui.

— J'avais cru deviner, soupira la divinus. Mais ce soir, c'est Kheldrik qu'on célèbre. Tu essaieras de lui donner un peu d'attention, tout de même.

❦ ❦ ❦

Vikh et Anthony attendaient leurs cavalières au pied de l'escalier, dans le grand hall du château. Ils s'étaient rapidement présentés l'un à l'autre, sachant qu'ils passeraient la soirée ensemble, et s'étaient tout de suite entendus. Anthony s'étonnait de l'aisance avec laquelle lui-même tenait la conversation. Il n'avait pas eu l'occasion de plaisanter ainsi depuis une éternité. L'esprit rationnel du traître cherchait des explications à ses subits changements et n'en avait trouvé que deux, entre lesquelles il hésitait: soit le Mage de Kamazuk l'avait convaincu de jouer ce rôle grâce à ses discours débiles, soit il lui avait jeté un sort. Dans tous les cas, l'Allié devait avouer que sa nouvelle vie valait mille fois l'ancienne. Sa soudaine passion pour Moraggen de Kildhar lui avait complètement sorti de la tête ses rêves de puissance et de guerre.

Les jeunes femmes apparurent au sommet de l'escalier, éblouissantes. Leurs cavaliers échangèrent un bref regard, alors qu'elles les rejoignaient. Anthony fit un baisemain à la princesse avant de lui offrir son bras et les deux couples partirent en direction de la fête.

Les célébrations avaient lieu dans la cour de Kantellän, décorée pour l'occasion. On avait accroché des lanternes aux arbres ainsi que des rubans colorés. Montées avec la plus belle argenterie, des tables avaient été dressées pour le festin qui se déroulerait après l'adoubement. Un orchestre jouait déjà un air joyeux, mais les danses ne commenceraient pas avant que la nuit soit bien avancée. Cependant, on trouvait déjà des acrobates et des cracheurs de feu se mêlant à la foule. Depuis les portes grandes ouvertes sur la Haute Ville jusqu'à une petite scène surmontée d'un dais de velours bleu, où étaient placés les sièges des hauts dirigeants, un tapis avait été déroulé. Des gardes, vêtus de leur plus bel uniforme, formaient une haie d'honneur.

Le roi était assis sur un trône, au centre de l'estrade. À sa gauche, la Reine Tiarana bavardait poliment avec le Chancelier Dehgran, un petit homme aux tempes grisonnantes qui siégeait au Conseil d'Obérius. Savath, le Grand Prêtre, s'ennuyait manifestement près d'eux. À la droite de son père, Moraggen resplendissait tandis que Poléus ainsi qu'Adalbald avaient pris place à ses côtés. Quant à la jeune divinus et à l'apprenti du mage, ils se tenaient debout derrière lui. Les jeunes gens échangeaient des banalités, tâchant de suivre ce que dictait l'étiquette. De temps à autre, ils lançaient des regards complices à Vikh, qui attendait au bas de l'estrade auprès de son père, portant dans ses bras une longue boîte de bois noir.

L'épidémie avait changé la façon dont étaient perçus les quatre héros. Si Moraggen, Kheldrik et Elsabeth avaient des postes importants à la cour, ils n'avaient jamais réellement joui du pouvoir qui leur était octroyé, considérés jusqu'alors comme des enfants. Ce soir, ils entraient définitivement dans le monde adulte.

La foule achevait de se rassembler et la lune était maintenant levée. À la vue d'Obérius se redressant, le silence se fit, rompu bientôt par des roulements de tambours. Les gardes dégainèrent leurs épées d'un même mouvement alors que Kheldrik se présentait au bout du tapis. Il était vêtu d'une cotte de mailles brillante sur laquelle il portait un pourpoint de velours. Une longue cape rouge était maintenue sur ses épaules par une chaîne en or massif.

Les membres de la garde d'honneur tendirent leurs armes vers le ciel et le jeune homme rejoignit son maître, rayonnant de fierté. Arrivé devant le roi, Kheldrik mit le genou en terre.

— Kheldrik de la Garioch, commença le monarque, tu rejoins aujourd'hui les rangs des Chevaliers d'Aanor. Cela exige une parfaite maîtrise de toi-même. Seras-tu juste et bon, écoutant ceux qui réclameront ton aide, défendant les faibles, les innocents?

— Je le serai.

— Utiliseras-tu tes pouvoirs à bon escient, ne sévis-sant uniquement lorsque cela sera nécessaire?

— Je le ferai.

— T'engages-tu à ne pas donner ta parole à la légère et à toujours la respecter?

— Je m'y engage.

— Finalement, seras-tu, tout au long de ta vie, fidèle à l'Asapmy?

— Je le jure aujourd'hui, que les dieux en soient témoins.

Adalbald et Savath se levèrent alors, suivis d'Elsabeth. Avec son Bâton de Puissance, le mage traçait des signes complexes dans l'air, à la hauteur de la tête de Kheldrik, tandis que la divinus chantait une formule dans l'ancienne langue. Quand ils s'arrêtèrent, le Grand Prêtre prit la parole.

—Jeune homme, vous venez de prêter serment devant les Forces Supérieures de l'Enekzenav. L'ensemble des dieux cherche maintenant à connaître votre valeur. La divinus doit vérifier s'ils vous jugent prêt à un tel engagement.

Elsabeth fit un pas devant, souriant à son ami, mais

sans perdre son sérieux. Elle posa une main devant les yeux de Kheldrik et ferma les siens.

Moraggen retint son souffle, se rappelant la légende de Roalad le Fourbe. Cet Asap devait être adoubé par son roi, lui aussi, mais au même moment de la cérémonie, les dieux avaient déclaré qu'il était indigne de confiance. Ainsi découvert, Roalad avait avoué avoir infiltré la cour sous les ordres d'un seigneur ennemi pour ensuite tenter d'assassiner le roi. Heureusement, la garde royale l'avait arrêté avant qu'il ne parvienne à commettre son crime.

La princesse savait cependant que son ami ne se rendrait jamais coupable d'un tel acte. Kheldrik était la droiture et l'obéissance même, les dieux verraient qu'il ferait un parfait chevalier.

Bien entendu, un instant plus tard, la divinus annonça que les dieux étaient favorables à cet adoubement. Savath invita la foule à réciter une prière pour célébrer cette nouvelle.

Ensuite, Adalbald, Savath et Elsabeth rejoignirent leurs places et, gêné, Vikh monta les marches de l'estrade, afin de présenter au roi la boîte allongée qu'il tenait jusqu'alors. Obérius en retira une imposante épée à deux mains, avec un prodigieux rubis enchâssé sur le pommeau et trois autres plus petits sur la garde, sous laquelle était gravé un discret V. Le jeune forgeron lança un regard surpris à son père, qui lui souriait, confiant. Vikh ignorait jusqu'alors quelle arme avait été choisie pour son ami, mais il venait de reconnaître sa signature et se gonfla de fierté, sachant qu'il avait lui-même forgé l'épée que tenait le roi.

— Kheldrik, dit Obérius, solennel, cette épée devra uniquement servir au nom du bien.

— Mon roi, je vous prête ici serment d'allégeance et jure que jusqu'à ma mort, je défendrai l'Asapmy au meilleur de mes capacités.

— Ainsi soit-il. Tu es désormais un Chevalier d'Aanor. Sire Kheldrik, puissent les dieux te protéger contre les dangers que tu rencontreras.

Obérius donna alors un léger coup du plat de la lame sur son épaule gauche et lui remit sa nouvelle arme, que le chevalier tendit devant lui, saluant la foule en liesse.

Après avoir échangé une virile accolade avec son meilleur ami, Vikh voulut descendre de l'estrade, mais Obérius le retint. Le roi réclama le silence puis reprit la parole :

— J'aimerais maintenant vous dire quelques mots. Je sais que cette soirée de célébrations sera particulièrement appréciée après les tragiques évènements qui nous ont frappés. Nous avons, pour l'instant, triomphé de nos ennemis. Toutefois, cette première bataille a causé de nombreuses pertes. Vos familles ont été déchirées et notre magnifique cité a souffert de graves dommages. Heureusement, les murs de Kamazuk ont été restaurés, je remercie d'ailleurs les hommes qui ont participé à la reconstruction. Je crains cependant que les blessures de nos cœurs ne puissent se réparer aussi aisément.

Le seigneur poursuivit ainsi pendant quelques minutes. Saluant la bravoure des villageois qui avaient pris les armes malgré l'épidémie de Lefhenziä, il annonça que la fête en cours était également donnée en leur honneur. Tout Kamazuk célébrait ce soir-là. Jusque dans la Basse Ville, on avait organisé des jeux et pris les dispositions nécessaires pour assurer que le vin coulerait à flot toute la nuit. Malgré ces frivolités, Obérius rappela que l'Asapmy était désormais en guerre et conseilla à son peuple de profiter largement de ses grâces, étant incapable de prédire s'il serait possible d'organiser de nouveau un tel événement dans un futur proche.

— Avant que nous célébrions tous comme il se doit, continuait le seigneur, je veux retenir votre attention sur un dernier point. Si je suis ici ce soir, et sans doute est-il de même pour nombre d'entre vous, c'est grâce à nos quatre héros. C'est pourquoi, une fois de plus, je tiens à témoigner ma reconnaissance à la divinus Elsabeth Tumlyn, à monsieur Vikh Dummkopf, à notre brave Sire Kheldrik ainsi qu'à ma chère fille, la Princesse Moraggen. Leur mission paraissait impossible, mais ils ont bravé tous les obstacles pour nous prouver le contraire et ramener l'antidote au pays. Ce soir, c'est en leur honneur que nous fêtons! Acclamons-les!

La cour retentit une fois de plus sous les cris et les applaudissements. Les quatre aventuriers s'étaient avancés, faisant face à la foule. Vikh riait de bon cœur, arrivant difficilement à croire la façon dont ces gens le regardaient. Si sa basse extraction ne l'avait jamais embarrassé auprès de ses amis, il était tout de même fier d'être aujourd'hui considéré comme égal à des personnages aussi importants. Ses rires furent repris par Moraggen, puis par les deux autres. Ils se prirent par la taille et, sous les vivats retentissants, saluèrent la foule comme l'auraient fait des comédiens après un spectacle.

— Que la fête commence! cria le Roi Obérius.

Les musiciens entamèrent un morceau rythmé, alors que la foule se dispersait pour rejoindre leur place à table.

Moraggen et Anthony avaient profité d'un moment particulièrement agité pour s'éclipser, empruntant une série d'escaliers afin de monter jusqu'aux remparts du château. Ils observaient les lumières de la ville, la lune au-dessus des tours de Kantellän, tout en parcourant à pas lents le chemin de ronde. On entendait toujours la musique, les rires de la fête.

La princesse s'arrêta, émerveillée. Elle avait déjà admiré la ville de nuit, mais jamais de ce point de vue. Ce soir, Kamazuk semblait vivante, éclatante, pleine d'énergie. Moraggen se sentait de même. Bien qu'elle se trouvât minuscule, là, à une telle hauteur, devant les nombreuses maisons, les rues et les parcs, elle avait l'impression d'être à sa place. Elle se sentait bien au bras de ce jeune homme, contemplant sa cité. Comme Kamazuk, elle était fière. Elle se savait précisément à l'endroit où elle devait être. Elle avait confiance.

La princesse se retourna et constata avec plaisir qu'Anthony n'observait pas la ville, lui. Il ne l'avait pas quittée des yeux.

— Merci ne m'avoir amenée ici, la vue est magnifique, dit-elle, d'un ton qu'elle voulait détendu.

Il ne lui répondit pas, s'approcha d'elle d'un mouvement lent. Son regard était tellement intense, Moraggen arrivait à peine à le soutenir. Pourtant, elle ne parvenait plus à détourner les yeux. Elle retrouva le sentiment qui l'avait frappée la première fois qu'ils s'étaient revus : elle avait la tête pleine de brume, le souffle court, le cœur serré, battant trop fort dans sa poitrine. Avant qu'elle ne réalise quoi que ce soit, il s'était penché sur elle, dangereusement près. Elle sentait ses lèvres bouger lentement contre les siennes alors que d'une voix basse, douce, il prononçait les mots : « Je vous aime. » Puis, il l'embrassa avec fougue.

Lorsqu'ils se séparèrent, après un long instant, et que Moraggen se donna tout de même la peine de lui répondre que ses sentiments étaient réciproques, Anthony n'avait toujours pas saisi ce qui s'était passé.

Selon toute logique, il aurait dû fuir. Disparaître. Rien de bon ne pouvait naître de cette relation, mais l'Allié se savait beaucoup trop égoïste pour écouter sa conscience. Il avait trouvé ce qu'il avait cherché en vain, à travers ses crimes et ses trahisons. Sa raison de vivre, ce n'était pas pour le pouvoir, pour l'attention, c'était elle.

Aujourd'hui, pourquoi se priverait-il? Pourquoi repousser la princesse? Il ne trouvait aucun argument qui pourrait motiver cette torture. Ses ambitions ne nuiraient pas à cet amour: jamais plus il ne chercherait à atteindre le pouvoir. Désormais, il ne pensait qu'à elle.

Il était fait. Neutralisé, désamorcé, désarmé!

Peut-être était-ce cela, le fameux destin dont parlait Adalbald? Était-ce parce qu'il savait assurément que le traître changerait que le mage ne l'avait pas dénoncé? Le vieil homme avait-il été instruit qu'Anthony rencontrerait son âme sœur?

Bien sûr, il aurait mieux valu qu'Anthony oublie la jeune femme. Il la ferait souffrir, bien malgré lui, mais c'était certain. Lui-même souffrait déjà, puisque chaque seconde en l'absence de Moraggen était insoutenable. Il n'avait même plus la force de la quitter pour la protéger de lui. Personne ne pourrait rien changer à cet amour, jamais.

— Je... Je devrais te résister un peu, annonça Moraggen, sans pourtant s'éloigner de ses bras. Je devrais te laisser me faire la cour pendant des mois.

— Tu as raison, je devrais te faire la cour, lui accorda Anthony.

— Je ne veux pas attendre et suivre un protocole ridicule. J'ai... confiance en toi.

— Moraggen...

Étrange, se dit Anthony. C'était la première fois qu'il prononçait son nom. Comment avait-il pu se contenter de l'appeler «Votre Altesse» ou «Majesté» tout ce temps? Et, bien qu'il eut soudainement l'impression d'être né pour prononcer ce nom, il souhaita s'adresser à elle comme son amour, sa chérie.

— Moraggen, je crois savoir que tu ressens la même chose, c'est pourquoi je n'hésite pas à t'en parler, mais... je n'arriverai plus à me passer de toi. Tu es mon âme.

— Tu es mon âme sœur. J'en suis persuadée, poursuivit la princesse.

— Pourquoi ne pas vérifier? plaisanta Anthony, désignant d'un signe de tête l'Aether de Moraggen avant de lui embrasser doucement le cou.

La légende des âmes sœurs était connue de tous: des Asaps ayant reçu des Amulettes d'Aether de couleurs inverses étaient considérés faits l'un pour l'autre.

Jetant tout de même un coup d'œil au pendentif, le jeune homme se figea. Une exclamation de surprise lui échappa.

— Qu'y a-t-il? demanda Moraggen, curieuse.

Il détacha rapidement son propre collier et le présenta à la princesse.

Moraggen observait en silence l'Aether, exacte réplique du sien, sauf, bien sûr, pour les couleurs, contraires. Celui d'Anthony, argenté, était barré de bleu, précisément la même teinte de bleu que celui de la royauté: l'azur de la bannière des de Kildhar.

C'était donc vrai. Elle l'avait trouvé. Comment avait-elle pu être aussi aveugle? Il avait été là, tout près d'elle pendant des années... Subitement, les sentiments d'inutilité, de superficialité, qui l'habitaient depuis son retour des Plaines Vertes avaient disparu.

— Je savais, répondit-elle finalement, sentant qu'Anthony se faisait plus nerveux en attendant sa réaction.

Anthony l'embrassa de nouveau, puis à la grande surprise de Moraggen, s'agenouilla, souriant de ce sourire qu'elle adorait.

— Moraggen de Kildhar, commença-t-il, retrouvant toute son audace, accepterais-tu de m'épouser?

5

LA DEMANDE

Vikh para un violent coup d'estoc et recula d'un bond, guettant son adversaire qui frappa de nouveau, infatigable.

Les bruits des épées s'entrechoquant résonnaient depuis déjà un instant. Les coups pleuvaient, mais aucun des opposants ne semblait prêt à céder du terrain. Les combattants s'étudiaient l'un l'autre, observant le moindre déplacement, cherchant une faille et attendant la seconde où l'un d'eux baisserait sa garde. Soudain, Anthony se fendit, rapide comme l'éclair, visant le cœur. Non sans difficulté, Vikh contra cette attaque et riposta. Il était plus fort et plus lourd, mais aussi plus lent, ce qui jouait contre lui. Il prit son élan pour maximiser l'impact, fonça, enragé, mais l'autre plongea au dernier moment et il se retrouva par terre. Se redressant, il voulut frapper les jambes de son rival, mais celui-ci sauta lestement.

D'un mouvement vif, Anthony frappa du plat de sa lame la main de Vikh, soudain désarmé. Il porta la pointe de son épée à la gorge du forgeron, savourant sa victoire, et éclata d'un rire macabre.

— Bien joué, l'Allié, dit Vikh, résigné.

— Tu en as eu assez? se moqua Anthony.

— J'aurai ma revanche, compte là-dessus!

Les deux jeunes hommes rengainèrent, amusés, sous les applaudissements de servantes curieuses qui avaient assisté au duel.

La semaine précédente, Kheldrik avait quitté la ville afin de s'établir sur ses terres, à Fyodor. Ainsi, Anthony avait, d'une certaine façon, repris le rôle de meilleur ami auprès de Vikh. Depuis le bal, les jeunes hommes avaient développé de solides liens, au grand étonnement de l'Allié qui n'avait jamais partagé un tel sentiment de complicité. Chaque moment de temps libre où Anthony n'était pas avec Moraggen, il tâchait de rejoindre Vikh pour aller prendre un verre en ville ou simplement discuter. Aujourd'hui, c'était une joute amicale qui les avait occupés.

Anthony, tout en ayant l'impression d'agir contre sa nature, avait appris à accorder sa confiance au jeune

Dummkopf. Il lui avait même avoué son secret. Comme il l'avait prévu, Vikh lui avait lancé une longue série d'insultes, mais ne lui avait pas pour autant tourné le dos.

Le forgeron n'avait aucunement l'intention de le dénoncer. Bien que l'identité du mystérieux allié des Gnomes lui eût causé toute une surprise, il ne pouvait que constater le repentir de celui-ci. Anthony s'était précipitamment justifié. Il avait raconté en détail les raisons qui l'avaient amené à s'associer aux ennemis, la façon dont Hs'an avait cherché à l'éliminer à la fin des combats, ainsi que l'étrange indulgence d'Adalbald. C'était à ce moment que Vikh avait choisi de garder le silence pour de bon. Si le Mage de Kamazuk se taisait, c'était qu'il s'agissait de la meilleure chose à faire. Il avait finalement conseillé à son ami de cacher ces informations à Moraggen. La princesse n'avait pas besoin de savoir ça, pas maintenant.

Ce secret était finalement devenu le sujet de plusieurs moqueries entre les jeunes hommes. Une de ces blagues était justement à l'origine du duel du jour. Vikh avait imité l'air arrogant de son ami et avait prétendu vouloir tester le jeu de pied de l'Allié, Empereur Suprême des Gnomes. Curieux de mesurer les capacités du héros de la plus récente épopée asape, Anthony avait relevé le défi avec enthousiasme.

— Allons, je dois me préparer si je ne veux pas être en retard pour mon audience avec Obérius.

— Tâche de ne pas lui rappeler notre petit secret.

— Qu'est-ce que tu crois? «Bonjour, Votre Majesté, je viens demander la main de votre fille. Au fait, c'est moi qui ai fait entrer les Gnomes au pays. Vous ne l'aviez pas vue venir celle-là, pas vrai?»

— Au moins, ça serait honnête, plaisanta Vikh, pris d'un fou rire.

Anthony attendait, impatient, devant les portes d'un petit salon. Il avait longuement réfléchi aux paroles qu'il prononcerait, cherchant les mots justes. Il était parfaitement conscient que tout noble qu'il était, il aurait de la difficulté à convaincre le roi de lui accorder la main de Moraggen. Cela impliquait beaucoup de choses. Certes, cet amour imprévu le rapprochait du trône, mais en revanche, Anthony n'avait nullement l'intention d'exiger la couronne. Il était prêt à laisser sa belle gouverner, pour autant qu'il soit assuré d'être à ses côtés. Pour faire cette concession, il avait dû piétiner son orgueil mais si Obérius acquiesçait à sa demande, il serait satisfait. Il savait qu'il avait cependant un précieux avantage par rapport à d'éventuels concurrents. Il détacha son Amulette d'Aether et la serra fermement dans son poing.

Un serviteur annonça que le monarque était prêt à le recevoir. Anthony franchit les portes d'un pas déterminé.

Les murs du salon étaient couverts de tentures aux couleurs chaudes. Sur presque toute la superficie de la pièce, un tapis finement ouvragé recouvrait le sol. Des fauteuils confortables étaient disposés autour d'un meuble, où reposaient une carafe de vin ainsi qu'un plateau de fruits et de fromages. Obérius était assis dans le meilleur siège et discutait avec Poléus de Nathandel, son intendant. Anthony eut du mal à réprimer sa surprise. Il ne s'attendait pas à être seul avec le seigneur, sachant qu'il était rare de pouvoir lui parler en tête à tête mais, il n'avait pas non plus imaginé que son père serait présent.

— Majesté, Père, salua-t-il, s'inclinant.

— Relevez-vous Anthony, je ne veux pas de ces protocolaires manières entre nous. Vous êtes le fils de mon plus fidèle ami, lui dit Obérius, aimable. D'ailleurs, j'espère que vous n'êtes pas contrarié par la présence de votre père, je sais que vous attendiez une audience privée.

— Cela ne me gêne nullement, Votre Majesté. Peut-être même est-ce une bonne chose.

— Assoyez-vous et racontez-moi le motif de votre visite, l'invita le roi.

Obéissant, Anthony s'assit sur un canapé et planta son regard dans celui du seigneur. Il ne put s'empêcher de sourire alors qu'il s'apprêtait à parler. Il avait choisi d'être le plus direct possible.

— Majesté, je suis amoureux de votre fille et je viens aujourd'hui vous demander sa main.

Le roi et Poléus restèrent bouche bée. Ils échangèrent un long regard, l'air de se demander si l'un d'eux était au courant que leurs enfants entretenaient une liaison. Sans plus attendre, Anthony reprit la parole :

— Cela peut vous sembler soudain, mais il ne s'agit pas d'une décision prise à la légère. La Princesse Moraggen a déjà accepté ma demande. Nous attendions un moment opportun pour vous faire part de nos intentions.

— Ne suis-je pas en train de rêver? s'exclama Poléus. Il y a quelques mois, j'arrivais à peine à prendre de tes nouvelles et désormais tu espères devenir roi?

— Absolument pas, s'expliqua Anthony, brusquement. Le titre de consort me suffit amplement, tout ce que je désire, c'est partager la vie de Moraggen.

Un bref silence suivit cette déclaration. Le roi était plongé dans ses pensées, tandis que l'intendant dévisageait son fils, comme cherchant à s'expliquer les signes d'un changement si radical.

— Père, reprit Anthony, je sais que je vous ai déçu par le passé, mais j'ai trouvé mon bonheur. Il est auprès de la princesse. Votre Grâce, j'ignore si vous avez foi en nos vieilles légendes, mais... Tenez, observez par vous-même.

Il présenta au roi son Amulette d'Aether. Obérius resta d'abord impassible. Qu'espérait obtenir cet impétueux jeune homme en lui montrant son collier? C'est alors qu'il en reconnut les couleurs. Le seigneur s'esclaffa et tendit l'amulette à son intendant.

— Poléus, je n'arrive pas à le croire. Nos enfants ont vécu sous le même toit pendant toutes ces années et jamais nous n'avons remarqué que leurs Aether étaient de couleurs opposées.

— En es-tu sûr? L'Aether de Moraggen est bien bleu et argent?

— J'en suis certain. Cela m'amusait, puisque le bleu est le même que celui de mon blason.

Le roi rapporta son attention sur Anthony, le toisant soudain d'un air intéressé. Ce dernier supportait avec difficulté son regard. Il avait enduré bien des remontrances et des bravades dans sa vie, mais n'était pas préparé pour une telle chose.

— J'aime Moraggen, Votre Majesté. Cette histoire de colliers n'y est pour rien, nous étions déjà épris lorsque nous l'avons constaté. Je ne demande pas le trône, tout ce que je veux, c'est lui offrir mon cœur afin que tous sachent la force de mes sentiments. Je jure de la protéger et de la rendre heureuse.

— Si c'est la princesse qui t'a transformé à ce point, je ne doute pas de toi une seconde, intervint l'intendant. Obérius, je sais que ta femme avait d'autres plans, mais d'un avis tout à fait objectif, je pense qu'Anthony est un bon parti. En tout cas, il est de bonne naissance.

À ce commentaire, le roi sourit. Anthony retint son souffle, attendant une réponse.

— Soit. Anthony de Nathandel, j'acquiesce à votre demande. Néanmoins, je dois en discuter avec la Reine Tiarana, qui avait déjà choisi un prétendant à la princesse. Ne vous en faites pas, je saurai la convaincre.

— Merci, Votre Grâce, répondit le jeune homme.

— Une dernière chose cependant... Êtes-vous bien certain de refuser la couronne? Un mariage du genre implique un partage des pouvoirs. Bien sûr, vous ne serez pas appelé à gouverner avant plusieurs années, mais nous devons clarifier ce point dès aujourd'hui.

Anthony resta silencieux. Il avait donc la chance de régner sur l'Asapmy? Ce plan était si simple, pourquoi n'y avait-il pas songé plus tôt, au lieu de perdre de précieuses années à comploter avec des créatures ignobles? Il n'avait pas besoin de monter machination sur machination, il n'avait qu'à séduire la princesse. En l'épousant, il s'assurait ainsi le pouvoir de façon tout à fait légale. Le traître se pressait de réclamer le trône, mais l'amoureux avait l'impression qu'il avait quelque chose à prouver. Il jugeait ce sacrifice nécessaire pour mériter la main de Moraggen. C'était une façon d'expier ses crimes et de s'assurer qu'il ne retomberait pas dans ses rêves sombres.

— Non, finit-il par dire, péniblement. Je laisserai la Princesse Moraggen gouverner.

— Bien. Maintenant, courez annoncer la nouvelle à votre fiancée. Nous nous reverrons demain pour commencer les préparatifs.

Anthony se leva d'un bond, triomphant. Il voulut saluer le roi, mais celui-ci lui serra plutôt chaleureusement la main, déclarant qu'il ne tolérerait plus de cérémonies de la part de son gendre. Le jeune homme éclata d'un rire sincère alors que son père le gratifiait d'une forte tape dans le dos.

Adalbald observait attentivement Moraggen matérialiser une boule de feu. Le mage jugeait que son élève avait beaucoup progressé depuis son voyage et qu'elle était prête à expérimenter un niveau supérieur de magie. Jusqu'à maintenant, Moraggen avait été capable d'embraser des objets ou de faire apparaître des flammes en dirigeant son énergie vers un point précis. Adalbald espérait aujourd'hui lui enseigner à projeter littéralement du feu, afin d'utiliser sa magie de façon défensive.

Moraggen avait sagement écouté les indications de son maître et désirait faire ses preuves. Une boule de feu brûlant dans sa main, elle plaça son bras à la hauteur de son oreille, comme pour lancer une simple balle, et poursuivit le mouvement vers l'avant.

Rien ne survint.

— Vous devez vous concentrer encore un peu, conseilla le sorcier. C'est exactement comme lorsque vous allumez une bougie, vous devez projeter votre énergie magique tout en visualisant le résultat. La seule différence, c'est que cette fois, c'est le feu lui-même en plus de l'énergie que vous devez expulser. Avez-vous compris ?

— Oui, Maître, répondit Moraggen, pourtant incertaine.

Elle fit de nouveau apparaître un globe enflammé. Après un instant de concentration, la princesse fit un deuxième essai. La sphère décolla, mais s'écrasa sur le sol avant d'atteindre la cible choisie par Adalbald. Ce dernier applaudit doucement et éteignit l'incendie d'un geste de la main avant que les flammes ne se propagent. Son élève s'était remarquablement dépassée. Il allait demander à la jeune femme de recommencer l'expérience lorsque l'on entendit frapper. Le Mage de Kamazuk se retourna et la porte s'ouvrit d'elle-même.

Anthony entra dans la pièce, rayonnant. Moraggen lui lança un regard tendre.

— Ah, mais c'est mon apprenti! Que puis-je pour vous, jeune homme? N'avez-vous donc rien à faire de votre jour de congé?

— Serait-ce possible d'avoir un mot avec ma fiancée quelques instants, s'il vous plaît, Adalbald?

— Ta fiancée? Anthony! s'exclama la princesse, se jetant dans ses bras. Je suis folle de joie!

Le vieillard monta en soupirant à son laboratoire, pour laisser ses élèves célébrer. Dès qu'il fut disparu, les amoureux échangèrent un baiser furtif, toujours enlacés.

— Mon amour, murmura Anthony, ton père m'a donné son accord.

— J'ai l'impression de rêver. C'est donc vrai? Tout est réglé?

— Obérius doit convaincre la reine, paraît-il. Elle avait des plans concernant ton mariage. Sais-tu de quoi il s'agit?

— Je n'en ai pas la moindre idée, mais si elle a le mot final, jamais nous ne pourrons nous marier, dit Moraggen, défaite. Elle inventera des excuses absurdes et prétendra que nous nous connaissons à peine. Je suis curieuse, comment as-tu persuadé mon père?

— Je lui ai montré mon Aether...

Moraggen éclata d'un rire cristallin et les jeunes gens s'embrassèrent de nouveau, peinant à croire leur soudain bonheur.

Anthony faisait les cent pas dans ses appartements. La nuit était tombée depuis longtemps, mais il n'arrivait pas à trouver le sommeil. Ses fiançailles avec l'héritière du trône accaparaient trop son esprit pour qu'il puisse se détendre. Au matin, il aurait la réponse définitive du roi et ils pourraient commencer les préparatifs. La princesse était déjà tellement enthousiaste.

Une fois calmée de l'état d'euphorie dans lequel l'avait plongée cette nouvelle, Moraggen avait entrepris de tout planifier. Elle discutait déjà des invités, de sa robe, de l'endroit où se tiendrait la noce. Son fiancé l'écoutait gentiment. Ces questions ne le préoccupaient guère, mais il était heureux d'être forcé de se les poser.

Malgré tout, il n'arrivait pas réellement à croire à tout ce qu'il vivait. Était-ce possible? Si quelqu'un lui avait annoncé deux mois plus tôt qu'il trouverait son bonheur à Kantellän, auprès de la princesse, jamais il ne l'aurait cru. Il ne l'avait pas cru, en fait. Adalbald l'avait bien prédit, lui. Anthony soupira, se remémorant les paroles du mage: «Dans quelques semaines, vous me remercierez pour mes conseils.» Il le remercierait, effectivement.

Le jeune homme n'en pouvait plus de se tourmenter, de se poser des questions. Il voulait des réponses. À l'instant, Obérius était certainement en train d'annoncer sa décision à la reine. Anthony aurait voulu savoir ce qu'ils se disaient...

Il s'approcha du mur contre sa table de travail et en retira précautionneusement un bloc. Derrière, dans une petite alcôve, se trouvait une sorte de paquet enveloppé d'un carré de soie noire, qu'il saisit. Il posa l'objet sur le bureau, révélant un globe en émeraude: la Sferacy, la pierre magique qui lui avait servi à communiquer avec les Gnomes. Il n'y avait pas touché depuis la trahison de Hs'an. Il se concentra, cette fois ne pensant pas à son ancienne associée mais plutôt à son seigneur. L'émeraude s'éclaircit et Anthony put voir à distance, dans les appartements de la Reine Tiarana, le couple royal partageant leur repas.

— Je vous en prie, ma Dame, pour une fois, songez au bonheur de notre fille! suppliait Obérius, d'un ton plein de colère. Ces deux-là sont âmes sœurs, j'en ai eu une preuve indéniable. Anthony est sincère, intelligent et bien né, je ne comprends pas vos réticences.

— Quel avantage tirerions-nous de cette union? Nous sommes en guerre, sire, il serait plus sage de marier la princesse de sorte à consolider une alliance.

Le roi abattit son poing sur la table, ne contrôlant plus sa rage.

— Je ne forcerai pas ma fille à épouser quelqu'un de votre espèce! cria-t-il. Jamais Moraggen ne connaîtra un mariage politique! Jamais elle ne souffrira d'une union qu'elle méprise!

— Comme vous, je suppose? cracha l'Elfe.

— Oui, comme moi! Et comme vous, Tiarana. Nous regrettons tous les deux le choix qui nous a été imposé. La paix a été faite avec notre mariage, je n'exigerai pas la même chose de ma fille.

La reine se leva brusquement de table et marcha d'un pas vif vers la fenêtre, tournant le dos à son mari. Un lourd silence s'installa peu à peu. Chacun essayait de retrouver contenance, sans trop y parvenir, élaborait en pensée de nouveaux arguments pour convaincre l'autre. C'est d'une voix posée que Tiarana reprit finalement la parole:

— Dans ce cas, pourquoi ne pas nous en tenir à la décision que nous avions prise à sa naissance? Si vous refusez de lui faire épouser un étranger, pourquoi ne pas solidifier vos propres fondements? Ce choix a été mûrement réfléchi, vous ne pouvez faire une erreur.

— Moraggen a le droit d'épouser celui qu'elle aime! s'offusqua Obérius, insensible à ce changement de tactique. Les premières fiançailles de Moraggen avaient été organisées pour éviter une potentielle crise. Par exemple, si j'étais décédé lors de cette épidémie, comme vous l'avez tant souhaité, il aurait été nécessaire que la future reine épouse quelqu'un de raisonnable afin de la supporter dans la régence du royaume. Tel n'est pas le cas!

— Je n'arriverai donc pas à vous faire entendre raison? soupira Tiarana.

— Ma décision est prise. J'ai donné ma parole à ce garçon, ma Dame. Je la tiendrai.

— Dans ce cas, je me soumettrai.

L'Elfe reprit sa place à table, lentement. Elle versa deux coupes de vin et leva la sienne au niveau de son visage, fixant son regard gris sur Obérius. Le roi ne s'étonna pas de cette saute d'humeur. Si sa femme avait toujours été une mégère, la culture de Novgorar lui avait enseigné qu'elle devait obéissance à son époux.

— Trinquons, Votre Grâce, proposa-t-elle, une pointe de sarcasme dans la voix. Célébrons cette union dont vous êtes si flatté.

Obérius leva son verre en l'honneur de sa fille et le porta à ses lèvres.

Presque aussitôt, Anthony vit son roi s'effondrer par terre, les traits tendus, le souffle court. Devinant ce qui était en train de se passer, il voulut se précipiter pour lui venir en aide, mais savait fort bien qu'il arriverait trop tard. Sidéré, il ne parvint pas à quitter la scène des yeux.

Tiarana se penchait sur le corps de son époux, secoué de spasmes violents, et détachait calmement l'Amulette d'Aether d'Obérius, qui tomba instantanément en poussière entre ses doigts pâles. Le roi échappa une douloureuse plainte, puis ferma les yeux.

Conscient d'avoir assisté au drame qui modifierait le cours de sa vie, Anthony recouvrit la Sferacy de son étoffe.

6

RECHERCHÉ

La porte s'ouvrit en un léger grincement.
Anthony se précipita à l'intérieur de la pièce et se jeta dans le fauteuil le plus près de celui où était assis le Grand Mage.

— Que me vaut cette visite à une heure si tardive, Anthony?

— Êtes-vous seul?

— Bien sûr.

Le jeune homme, anxieux, lança un regard aux alentours afin de confirmer la réponse de son maître. Il pouvait parler sans crainte, mais ne savait trop par où commencer.

— Adalbald, j'ai besoin de votre aide...

Le mage eut l'obligeance de retenir un sourire et de se composer un air préoccupé.

— Obérius est mort. C'est arrivé il y a quelques minutes, je... j'ai tout vu, mais je n'ai pas pu le sauver. La reine l'a empoisonné.

Se doutant bien qu'il ne pourrait retourner dans ses appartements pour un moment, Anthony avait pris le soin de remplir un sac de voyage de quelques affaires, dont la Sferacy. Il sortit son invention de ses bagages et la présenta à Adalbald.

— Voilà au moyen de quoi je communiquais avec les Gnomes. C'est en créant la Sferacy que j'ai perdu mes pouvoirs. Aujourd'hui, en toute innocence, j'ai voulu m'en servir et j'ai vu de mes yeux la reine empoisonner Obérius.

Le sorcier saisit délicatement la sphère d'émeraude, les sourcils froncés. Il regarda pensivement la pierre pendant un bref instant, avant de la rendre à son propriétaire.

— Voilà un impressionnant exemple de la plus sombre des magies... Il serait vain de vous suggérer de détruire cet objet du Chaos au plus vite, n'est-ce pas?

— La Sferacy n'est pas dangereuse. Comment aurais-je été témoin de ce qui s'est passé ce soir sans elle?

— Vous avez sacrifié le don que les dieux vous avaient fait pour...

— Adalbald! l'interrompit Anthony. C'est sans importance, le roi est mort! Tiarana l'a tué! N'allez-vous donc rien faire?

Son appel fut laissé en suspens, car soudain, on entendit des coups secs à la porte.

— Cachez-vous, ordonna le mage à son apprenti.

Anthony monta au laboratoire. À peine était-il hors de vue qu'il entendit Adalbald ouvrir la porte. Quelqu'un prit ensuite la parole, mais le jeune homme ne reconnaissait pas la voix. Il devait s'agir d'un garde ou d'un serviteur.

— Maître Adalbald, pardonnez-moi de vous déranger à une heure pareille, mais un terrible malheur vient de frapper Kantellän. Le Roi Obérius a été assassiné. Sa Majesté Tiarana a sonné l'alerte dès qu'elle a pu et elle demande à présent une réunion d'urgence du Conseil. Je vous y mène immédiatement.

— Je monte d'abord sécuriser quelques petites choses à mon laboratoire, répondit le mage.

— Maître Adalbald, j'aime mieux vous prévenir: votre apprenti est le premier suspect identifié par la Reine Tiarana. Elle a laissé entendre que le fils de l'intendant avait visité le roi peu avant le drame. Nous venons tout juste de nous rendre à ses appartements et il n'y était pas. Savez-vous où il peut se trouver?

— Je n'en ai aucune idée, mentit le maître, sans hésitation. Attendez-moi, nous partirons dans un bref moment.

Adalbald monta à son tour jusqu'au laboratoire. Arrivé au haut des marches, il frappa un coup sur le sol à l'aide de son Bâton de Puissance. Il se leva un brusque coup de vent, puis Anthony eut l'impression que l'air avait épaissi. Il se sentait plus lourd. Les mots que prononçait le sorcier semblaient même lui parvenir avec un léger décalage.

— Voilà qui nous assurera de ne pas être entendus de ce garde, expliqua Adalbald.

Anthony se tourna vers lui, désespéré. La reine l'avait accusé, bien sûr. Elle aurait difficilement pu trouver un meilleur bouc émissaire. Sans aucun doute, ses appartements avaient été fouillés et on avait trouvé des documents prouvant ses échanges avec la Gnomalie. Sinon, cela ne saurait tarder.

— Que faire, Adalbald?

Pour une fois, il ne trouvait aucune solution. S'il s'en remettait à la justice, la reine le condamnerait.

Pourtant, il ne pouvait fuir, il ne pouvait quitter Morag-gen, pas maintenant.

— Restez ici jusqu'au matin, ordonna le mage. Je plaiderai en votre faveur. Je pense bien avoir un argument qui saura faire pencher la balance…

— Ai-je vraiment une chance de m'en sortir si Tiarana est résolue à m'arrêter?

— Personne ne sait que vous êtes ici. Le garde n'a pas douté une seconde de ma parole. Pour l'instant, vous êtes en sécurité.

Ce n'était pas une réponse particulièrement claire ou satisfaisante, ce qui en disait long. Le Mage de Kamazuk saisit le premier grimoire à sa portée, leva le sortilège qu'il avait jeté au garde et redescendit les marches à la hâte.

Anthony entendit la porte se refermer et soupira.

La nuit promettait d'être longue.

Trois jours s'étaient écoulés.

Grâce à la protection d'Adalbald et de Vikh, Anthony n'avait pas été découvert. La journée suivant le meurtre, quand il avait appris les charges qui pesaient contre son ami, le forgeron avait cherché à le rencontrer. Il était convaincu qu'Anthony ne pouvait avoir assassiné le roi. Voyant que ses appartements étaient surveillés, Vikh était monté directement à la tour du mage pour le questionner. L'accusé s'y cachait encore.

Les deux jeunes hommes avaient discuté, Anthony s'était expliqué et Vikh, compréhensif comme toujours, lui avait proposé un endroit idéal où se terrer le temps que le Grand Mage le réhabilite. Ainsi, à la nuit tombée, Vikh avait aidé Anthony à quitter la cité et l'avait mené à la Ruche, une cabane dans les arbres qu'enfant, il avait construite avec Moraggen, Elsabeth et Kheldrik. La Ruche convenait parfaitement aux présentes circonstances: elle était confortable, connue de peu — qui d'ailleurs ne penseraient jamais à y rechercher le fugitif — et elle se trouvait à une courte distance de Kamazuk.

À première vue, la situation semblait sous contrôle, mais les choses ne s'étaient pas réellement améliorées pour Anthony.

Comme il l'avait prédit, la Reine Tiarana n'avait eu aucune difficulté à récolter des preuves contre lui. En fouillant ses appartements, non seulement les gardes avaient trouvé de nombreuses traces de sa correspondance avec Gnôrga Hs'an, tels des plans et des cartes, mais également un flacon du même poison qui avait été utilisé pour mettre fin aux jours d'Obérius. Les guérisseurs royaux l'avaient confirmé: il s'agissait de la Faïne de Naïmë, une herbe redoutablement toxique provenant des montagnes de Sü-Dü. Cette plante était rare, mais en tant qu'apprenti du plus puissant mage de l'Asapmy, Anthony aurait pu se procurer facilement cette dangereuse drogue.

L'Allié peinait à admettre cette injustice. Tiarana l'avait battu à son propre jeu, avait monté habilement un complot contre lui. Après avoir assassiné son époux, elle avait crié à l'aide, feignant d'être éplorée. Le château entier s'était mis en branle et c'est à ce moment qu'Adalbald avait été appelé. Alors, Tiarana avait livré une version bien particulière des évènements, accusant celui qui semblait être le seul suspect possible.

Selon elle, après le dîner, Obérius aurait convié Anthony aux appartements de sa femme afin de lui annoncer qu'il avait changé d'idée à propos de son mariage avec la princesse. Le garçon serait entré dans une colère noire et aurait glissé le poison dans la coupe du roi. Tiarana ajouta qu'elle n'avait rien remarqué d'insolite au départ, mais avec du recul, elle ne voyait pas qui d'autre aurait pu commettre un tel crime : les souverains avaient déjà goûté au vin avant que n'entre Anthony.

L'accusé voyait maintenant clair dans le jeu de la reine. Elle avait envoyé un domestique cacher la Faïne de Naïmë dans ses appartements pendant son absence. Comme elle avait reçu le Roi Obérius dans ses propres quartiers, les serviteurs qui avaient assisté à la scène, les seuls qui auraient pu témoigner, étaient des Elfes fidèles à Novgorar. Ils étaient tous complices, appuyant la déclaration de la reine.

Aidé de son maître, le jeune homme aurait peut-être pu se sortir de ce piège, si on n'avait découvert qu'il était coupable de trahison, accusation qu'il ne pouvait certes pas nier. Les documents saisis par les gardes l'incriminaient incontestablement aux yeux de tous. Comme si cela ne suffisait pas, pendant la nuit du crime, Elsabeth avait eu une vision. Au matin, troublée par les terribles révélations que lui avaient faites les dieux, la divinus s'était ouverte aux autorités : Anthony était l'Allié, le traître, l'ami des Gnomes. On ne pouvait douter de la parole des dieux.

Conséquemment, le jeune Anthony de Nathandel

était recherché à travers toute l'Asapmy pour régicide et haute trahison, deux crimes passibles de la peine de mort. Bien sûr, pour être condamné, Anthony devrait d'abord faire face à la justice. Il avait droit à un procès et aurait pu se servir de cette occasion pour faire éclater la vérité, mais il se doutait bien que Tiarana ne lui en laisserait pas la chance. Compliquant encore la situation c'était l'Intendant Poléus, son père, qui avait coutume de rendre le verdict des cas présentés au roi. On ne lui accorderait aucune crédibilité s'il devait juger son propre fils. La situation semblait sans issue.

Moraggen se tenait aux côtés de sa mère, silencieuse et immobile.

Elle était vêtue d'une robe noire très simple, longue, couvrant ses bras et sa gorge, et s'était enveloppée d'un châle de la même couleur, brodées de fleurs de dentelle. Son visage pâle était voilé.

La cérémonie officielle était terminée. Le Grand Prêtre avait conclu ses prières. Le corps d'Obérius reposait parmi ses ancêtres dans la crypte royale et son âme avait rejoint l'Au-Delà.

La Reine Tiarana prononçait maintenant un discours en l'honneur du roi disparu à l'adresse de la foule présente. Ses mots n'avaient rien de réconfortant, ni même d'élogieux. Après avoir monologué d'une voix grave sur l'avenir de l'Asapmy en ces temps de guerre et sur la nécessité de chercher des alliances profitables, voilà qu'elle assurait les citoyens que les Elfes, son peuple, s'allieraient aux Asaps et qu'ensemble, ils vaincraient la menace gnome.

La princesse écoutait à peine. Elle avait l'impression d'errer, à demi consciente, dans l'obscurité. Où était-elle ? Peu importait. Obérius était mort. Anthony aussi, certainement. Elle était morte.

La soirée avançait lentement et les réjouissances avaient commencé. Ceux qui s'étaient déplacés pour mettre le roi en terre avaient regagné Kantellän. Si le souverain avait été enfoui dans le caveau familial des de Kildhar, loin dans le grand cimetière qui se trouvait à l'extérieur des murs de Kamazuk, les célébrations suivant les obsèques avaient lieu, comme lors de l'adoubement de Kheldrik, dans la cour du château. Cette fois, cependant, plutôt que des rubans aux couleurs vives, c'étaient des bannières noires qui flottaient çà et là.

Il était coutume, en Asapmy, de célébrer l'arrivée d'une nouvelle âme parmi les dieux. La mort, bien sûr, était plainte et regrettée; en revanche, l'entrée dans l'Au-Delà était perçue comme un événement heureux. Pendant la fête, on partageait des souvenirs du défunt et on lui rendait un dernier hommage.

Moraggen se leva de table, quittant la compagnie de Vikh et de Kheldrik. Elle n'avait pourtant pas eu l'occasion de voir le chevalier depuis plusieurs semaines. Ce dernier avait quitté ses terres dès qu'il avait appris la triste nouvelle et s'était précipité à Kamazuk pour réconforter son amie.

Les deux jeunes hommes lui lancèrent un regard désolé lorsqu'elle s'éloigna, mais Moraggen fit mine de n'avoir rien remarqué. Elle recherchait la solitude.

La princesse ne savait trop où aller. Elle ne pouvait quitter la fête trop longtemps, cela serait très mal vu. Elle décida donc d'aller faire un tour aux jardins. Discrètement, elle s'engagea sur le mince sentier pavé.

Après un moment, elle s'arrêta dans un tournant: les échos d'une dispute parvenaient jusqu'à elle. Elle reconnut aussitôt les voix d'Elsabeth et Adalbald.

Comment la divinus pouvait-elle s'adresser à son maître sur ce ton?

— Vous avez tort, Adalbald! Cessez donc de la prendre pour une idiote!

— Je ne doute pas de Moraggen, seulement de sa capacité de réagir posément à l'annonce d'une telle nouvelle. Il vaut mieux attendre.

Ils parlaient donc d'elle... Quel nouveau malheur hésitaient-ils à lui annoncer? soupira la princesse.

— De toute manière, cette histoire de prophétie et de destin est complètement ridicule! Ne cherchez pas des excuses pour épargner ce traître. Vos efforts seront vains.

— Elsabeth! se fâcha le mage, haussant le ton pour la première fois. C'est vous qui êtes complètement ridicule. Vous avez fait cette prophétie vous-même!

— Il n'est pas Celui qui revient des Ténèbres, Adalbald! Il est dans les Ténèbres en ce moment même! Il est les Ténèbres!

— Son heure n'est pas encore venue, mais...

Moraggen ne pouvait le supporter plus longtemps. S'ils se querellaient à propos d'elle et d'Anthony, cette conversation la concernait. Elle choisit de s'interposer, sortant de l'ombre et faisant sursauter violemment son amie.

— Si vous m'expliquiez le sujet de ce débat? proposa-t-elle.

— Votre Altesse, nous ne vous avions pas entendue, releva Adalbald, bien inutilement. Mademoiselle Elsabeth et moi-même discutions de banalités, simplement.

— Ne vous moquez pas de moi, ordonna Moraggen. Quelle est cette prophétie et de qui parliez-vous donc?

La divinus lança un regard enragé au mage, qui se contenta de hausser les épaules. Elsabeth soupira avant de reprendre la parole d'une voix plate.

— *À l'aube d'un nouvel âge, la Dame aux Yeux et au Sang de deux nations s'unira à Celui qui revient des Ténèbres. De cette alliance attendue des dieux seuls naîtra le Libérateur... Il nous sauvera des Barbares, mais ne pourra accomplir sa destinée si aide il n'obtient. Le Libérateur vaincra.*

— Que signifie ce charabia? s'étonna Moraggen.

— C'est ce que nous essayons de savoir, répondit le Mage de Kamazuk. Il est question d'un enfant à l'avenir prometteur, qui sauverait l'Asapmy d'une grande menace. Personnellement, je devine que la prophétie vous désigne, ainsi qu'Anthony de Nathandel, comme les parents de ce mystérieux Libérateur. Elsabeth pense autrement.

— Adalbald essaie de me convaincre de témoigner en faveur d'Anthony. Il croit que nous ferions une grave erreur en lui enlevant la vie, puisque cela empêcherait l'existence de ce prétendu sauveur.

— Tu refuses ? demanda sèchement Moraggen.

— Il a tué Obérius... Il a trahi l'Asapmy... Il a trahi ma meilleure amie de la pire des façons... Je ne vois pas pourquoi je lui apporterais mon aide. Moraggen, je ne crois pas à cette prophétie. Rien ne prouve qu'il est question de vous deux. Maître Adalbald se trompe.

— Elsabeth, arrêtez vos enfantillages, s'emporta le Grand Mage. Qui d'autre que Moraggen aurait les yeux vairons et le sang mêlé ? Elle correspond parfaitement à la description de la dame. Ses yeux ont les couleurs mêmes des bannières de ses deux pays. Un bleu pour l'Asapmy, un violet pour Novgorar. Pourquoi vous borner ?

— Je concède que Moraggen semble être l'objet de cette prophétie. Mais en ce qui concerne Anthony, rien n'est moins sûr. Les termes sont trop vagues. Je refuse de me prononcer là-dessus.

Moraggen ne comprenait plus rien. Une prophétie avait été faite concernant un enfant né de son union avec Anthony. Pourquoi personne ne lui en avait parlé? À commencer par Elsabeth! La divinus était-elle vraiment persuadée que sa vision était fausse, qu'elle avait fait erreur? Mais si cette prophétie pouvait sauver Anthony, Moraggen devait y croire. Le devait-elle? Voulait-elle vraiment qu'il reste en vie? Après tout, son amie avait raison. Il l'avait trahie. Jamais elle ne pourrait lui pardonner ce qu'il avait fait.

— De toute façon, il s'est enfui, déclara Moraggen, amère. Nous ne pouvons plus rien faire.

Adalbald et Elsabeth échangèrent un autre regard. Ils lui cachaient encore quelque chose. La divinus savait que son amie n'était pas dupe et enjoignit donc leur maître à reprendre la parole.

— Anthony n'a pas pris la fuite. Il est encore aux alentours de Kamazuk, caché, et sous ma protection, admit le mage. Comme je viens de le déclarer, j'ai foi en cette prophétie. Mon rôle est de protéger l'Asapmy, ce que je ne ferais pas en laissant mon apprenti périr aux mains de la justice.

Le sorcier avait eu raison de vouloir taire cette

nouvelle. Moraggen réalisait qu'elle n'était effectivement pas prête à l'entendre. Anthony, le traître, le meurtrier, son amour, était toujours à Kamazuk? Le mage le protégeait malgré tout? Toutes ses pensées se mêlaient, encore et encore. Une seconde, elle désirait le voir mort, l'instant suivant, elle aurait tout donné pour se retrouver dans ses bras. Il n'y avait qu'un seul moyen pour qu'elle se décide enfin...

— Je veux le voir, déclara-t-elle à Adalbald. Tout de suite.

— Demain, répondit le maître. J'irai le visiter avec vous dès que nous en saurons plus long sur son avenir.

7

aDieux

anthony se releva prestement.

Quelqu'un grimpait le long du tronc de l'arbre afin d'entrer à la Ruche. C'était certainement Vikh. Il devait avoir trouvé un moyen de se libérer pour lui apporter des nouvelles de la ville. À son grand étonnement, c'est Adalbald qui entra dans la cabane, suivi de près par la princesse. Anthony se précipita à sa rencontre, heureux qu'elle daigne finalement lui rendre visite.

— Moraggen, mon amour, balbutia-t-il, cherchant ses mots, je...

— Anthony, il vaudrait peut-être mieux vous taire pour l'instant, dit Adalbald. Sa Majesté est choquée. Elle m'a supplié de l'amener vous voir, mais elle est encore fragile, ménagez-la.

Moraggen s'approcha lentement de lui. Ses yeux étaient rougis et cernés, son teint trop pâle. Il aurait voulu la consoler, mais savait que toute tentative était inutile. Il s'écoula un long moment où il la laissa l'observer simplement, silencieuse.

— Pourquoi? finit-elle par demander.

— Je n'ai pas tué ton père, Moraggen, se lança Anthony, tâchant de sonner le plus honnête possible. Je le jure. Toutefois, je suis responsable de la guerre qui commence. Depuis cinq ans, j'ai en effet travaillé pour les Gnomes et j'ai espéré prendre le pouvoir. Mais si tu savais comme je regrette…

Moraggen le gifla rudement. Prenant conscience du geste qu'elle venait de poser, la princesse redoubla de sanglots et elle alla se réfugier dans les bras du vieux mage. Bien qu'anéanti par le coup qu'il venait de recevoir, Anthony se força à reprendre courage. Il sentit la rage monter en lui.

— C'était donc ça, le fameux destin qui m'attendait, Adalbald? lança-t-il, effronté, montant de plus en plus le ton. Vous saviez, n'est-ce pas? Vous saviez que Moraggen et moi allions tomber amoureux. Et vous n'avez rien fait!

Moraggen se dégagea et observa Anthony d'un air presque curieux. Elle ne disait mot, mais se surprenait de son changement d'attitude. Le traître était totalement métamorphosé. Quelques secondes auparavant, il lui inspirait pitié et dégoût; à présent, il lui semblait invulnérable. Adalbald reprit la parole, tâchant de calmer son apprenti:

— Qu'espériez-vous que je fasse? Que je vous empêche de vous rencontrer?

— Pourquoi ne m'avez-vous pas dénoncé, le jour où s'est terminée l'épidémie? cria Anthony. Et n'allez pas me sortir des excuses bidon. Je me fiche du destin, Adalbald! Dites-moi la vérité!

— Vous n'êtes pas prêt à entendre la vérité.

— C'est cette histoire de prophétie, encore, qui vous empêche de parler? demanda Moraggen au mage, s'en voulant de prendre la défense d'Anthony, mais incapable de se retenir.

— Quelle prophétie?

L'intrusion de Moraggen dans le débat avait réussi à apaiser la colère d'Anthony. Il était content de constater qu'elle également était lasse des mensonges et des secrets du Mage de Kamazuk.

— Je ne suis plus un gamin, Adalbald, reprit-il, et j'en ai assez que vous décidiez ce qui est bon pour moi. J'ai tout perdu. Je savais que je devrais un jour supporter les conséquences de ma traîtrise, mais je n'ai pas à payer pour les crimes de Tiarana.

— Que veux-tu dire? s'étonna Moraggen.

— C'est elle qui a tué Obérius. Elle...

— Anthony... le coupa Adalbald, réprobateur.

— Moraggen a le droit de savoir ce qui s'est passé! Je ne vais pas endosser la responsabilité de ce meurtre et laisser ma fiancée me mépriser.

Le sorcier soupira. Il savait que son apprenti avait un caractère explosif, mais ne croyait pas se buter à tant de ressentiment. Adalbald s'assit à même les nombreux coussins épars sur le sol, comme pour laisser aux principaux intéressés l'occasion de s'expliquer. Anthony révéla alors Moraggen l'affreux complot de la Reine Tiarana. La jeune femme, qui, au départ, cherchait à conserver ses distances, commença à baisser sa garde. Lorsqu'il eut fini de parler, la princesse était pratiquement convaincue. Elle lui raconta à son tour la conversation qu'elle avait surprise entre Elsabeth et son maître, à propos de la prophétie concernant le Libérateur, leur enfant. Anthony ne savait que penser de cette histoire nébuleuse, de son supposé destin.

Le couple plongea dans le silence.

Moraggen ignorait si elle devait accorder sa confiance à Anthony. Ce qu'elle venait d'entendre était plus que plausible. Sans aucun doute, sa mère aurait pu tous les poignarder dans le dos, mais Anthony lui-même n'avait-il pas avoué avoir trahi l'Asapmy? Mentait-il encore? À quel point Maître Adalbald était-il complice? Elle ne savait plus où chercher la vérité, ni l'espoir. Dans un pareil dilemme, on lui avait appris à écouter son cœur, mais aujourd'hui cela lui paraissait insensé.

Percevant sa détresse, Anthony s'avança, d'abord incertain, puis l'enlaça.

— Je t'aime, Moraggen, plus que tout au monde, plus que le pouvoir, murmura-t-il, sans se préoccuper le moins du monde de la présence du vieil homme assis à un mètre de là. Ne crois pas la rumeur qui circule. En dépit de mes ambitions passées, je n'ai jamais voulu t'épouser pour obtenir le trône. Jamais.

Cette fois, la princesse fondit pour de bon, et répondit avec passion.

— Je ne veux pas te quitter, Anthony.

— Il faudra bien, laissa tomber Adalbald, se redressant. Du moins pour un moment.

— Que voulez-vous dire? demanda Anthony.

— Mon garçon, j'ai fait tout ce que j'ai pu, mais la reine refuse d'entendre raison. À l'heure qu'il est, ses sbires sont à votre recherche pour vous abattre. Vous devez quitter l'Asapmy avant l'aube.

Anthony s'assit à son tour, défait. Quitter l'Asapmy? Abandonner Moraggen? Alors qu'elle était prête à lui pardonner sa traîtrise? Il ne pouvait s'y résoudre.

— Non, je ne me laisserai pas faire. Rentrons immédiatement à Kantellän, je dirai la vérité à tous et cette histoire sera réglée pour de bon. Je suis prêt à endosser la responsabilité de ma trahison, je n'ai pas peur.

— Là n'est pas la question. Les gardes ont reçu l'ordre de tirer à vue, vous ne pouvez pas retourner au palais, affirma le mage. Ayez toutefois confiance, cette situation ne saurait durer.

— Elsabeth a accepté de témoigner? le questionna Moraggen, songeuse.

— Oui. La reine finira par céder. En attendant, Anthony, vous devez fuir le royaume. Nous vous retrouverons lorsque vous pourrez revenir au pays en sécurité. Cela ne durera probablement que quelques semaines...

— Comment saurez-vous où je serai?

— Votre invention aura l'occasion de servir au nom du bien. La Sferacy nous guidera.

— Dans ce cas, je partirai.

Anthony n'avait pas le choix.

Moraggen se serra contre lui.

— Où que tu ailles, je t'accompagne, amour, dit-elle.

— Vous serez plus utile à Kamazuk, Votre Altesse, la contredit le sorcier. Si vous voulez aider votre fiancé, restez.

—Il a raison, céda à contrecoeur l'apprenti du mage.

— Je vous laisse seuls, désormais, annonça Adalbald. Assurez-vous de quitter les environs avant le lever du jour, Anthony.

Le Grand Mage salua une dernière fois son apprenti, garantit à Moraggen qu'il lui rendrait bientôt visite, puis disparut en un éclair vert aveuglant.

Moraggen regardait par la fenêtre ouverte de la Ruche.

Les étoiles brillaient toujours, mais le ciel pâlissait. La forêt était noire, grise, bleue ; le ciel, violet, rose, bientôt jaune. Pourtant encore dans l'ombre, les arbres commençaient à refléter cette lumière changeante, inquiétante. Le jour allait poindre.

La princesse soupira profondément. Ayant remarqué qu'elle tremblait, Anthony, qui venait de rassembler ses quelques possessions, la rejoignit et déposa sa longue cape noire sur ses épaules. Lui-même était torse nu, mais ne semblait pas souffrir du froid. Il la prit par la taille, couvrit son cou de baisers, puis expliqua, en un murmure, toute la force de sa passion.

— Je sais que tout a changé pour toujours. La vie peut nous séparer, comme avant, mais aujourd'hui c'est différent. Nous ne sommes plus dans l'ignorance. Parce que, maintenant, je sais que tu es là. Tu es mon amour, tu es mon âme. Tu es ma vérité, Moraggen.

La princesse resta muette. Elle était incapable de trouver les mots justes pour lui répondre et se lova plutôt contre lui. Elle voulait qu'il sache qu'elle se sentait en sécurité, malgré tout, qu'elle était amoureuse, qu'elle ne regrettait rien.

— Tu reviendras, je te le promets. Je prouverai à tous que tu es innocent! s'emporta la jeune femme. Je nous débarrasserai de ma mère et tu régneras à mes côtés.

L'exilé sourit, attendri par cette déclaration candide, puis embrassa sa belle. Il savait bien que tout ne se réglerait pas ainsi, mais ne voulait pas gâcher ce dernier moment. Moraggen avait le don d'apaiser même ses pires craintes. Elle lui avait donné le courage d'affronter ce départ. Il devait être fort à son tour, laisser un souvenir dont elle serait fière.

— J'ai peur, Anthony, avoua la princesse.

— Il ne faut pas. Je t'aime, toi seule, et il en sera toujours ainsi. Toujours.

Anthony et Moraggen restèrent enlacés et silencieux. Sans vouloir se l'avouer, ils pressentaient tous deux que cet exil forcé durerait plus longtemps que ce qu'avait annoncé Adalbald. Ils s'étudiaient, cherchant à se créer une image de l'autre, un souvenir inaltérable et parfait.

La princesse voulut fixer son amour dans son esprit, précisément, sous toutes ses coutures. Elle ne trouvait aucun défaut à Anthony, mais si tel avait été le cas, elle elle ne l'aurait pas moins enregistré. Elle dressa d'abord un portait d'ensemble puis, détailla chacun de ses membres. Son regard sombre, enivrant, invitant. Sa bouche, tendre, ses baisers. D'une caresse, elle retraça sa cicatrice. Sa peau, presque blafarde, l'ombre sur sa joue, rude. Elle suivit la courbe de ses épaules qui menait à des bras protecteurs. Moraggen se serra contre son corps musclé et pourtant mince, gracieux. Elle sentait sa chaleur, son odeur, virile, tellement rassurante. Elle ne voulait rien oublier.

Anthony retenait sa fiancée prisonnière de ses bras. Elle lui paraissait si délicate, qu'il avait parfois peur de la casser telle une poupée. Il s'assurait de poser avec douceur tous ses gestes. Il avait passé un bras autour de sa taille, l'autre autour de ses épaules pour sentir ses longs cheveux roux qui, par moments, voltigeaient dans le vent soufflant par la fenêtre ouverte. Il avait besoin d'elle. Il prit un moment pour se plonger dans son regard vairon, déstabilisant, puis l'entraîna dans un long baiser. Passionné.

— Le jour se lève, constata Moraggen, sombrement, lorsqu'ils se séparèrent. Tu dois partir.

Elle paraît plus calme, se dit Anthony. Il était heureux de voir qu'elle avait encore foi en leur avenir.

Le jeune homme termina ses préparatifs. Il enfila une chemise, chaussa ses bottes et passa son épée à sa ceinture, mais, à la demande de Moraggen, lui fit cadeau de sa cape.

Puis, Moraggen et Anthony quittèrent la Ruche. Ils se firent face une dernière fois, à la croisée des chemins qu'ils devraient tous deux emprunter, l'un menant à Kamazuk, l'autre s'enfonçant dans les bois obscurs.

— Adieu, se força à dire Anthony, douloureusement.

— À bientôt.

Moraggen avait confiance.

8

NOUVELLES

$a$nthony se fit jeter à bas de sa monture.

Le cheval qu'il avait volé quelques jours plus tôt à l'un de ses poursuivants s'était subitement cabré, refusant d'avancer plus loin, puis s'était enfui.

Le fugitif avait mené l'animal jusqu'à la frontière nord-est de l'Asapmy, jusqu'à la Lande Maudite. Il aurait bien souhaité éviter d'entrer en ces terres, mais elles étaient désormais sa seule chance. Les assassins envoyés par Tiarana le pourchassaient sans relâche depuis une semaine. Anthony les avait affrontés à plusieurs reprises, espérant s'en débarrasser. C'est d'ailleurs de cette façon qu'il s'était procuré des vivres et une monture, mais, toujours, les mercenaires au service de la puissante Elfe retrouvaient ses traces. Cette fois, il était fait. Ils arriveraient d'un instant à l'autre et il n'avait aucun moyen de leur échapper.

Anthony jeta un regard nerveux derrière lui, puis rapporta son attention sur le paysage auquel il faisait face. La Lande Maudite : un désert de rocailles, perpétuellement couvert d'une épaisse brume, dans lequel, disait-on, se cachaient des esprits malins. Très peu étaient sortis vivants de cet endroit. Si on parvenait à le traverser sans tomber dans une crevasse, c'étaient les fantômes qui s'occupaient du reste.

Entre une très mince chance de survie et une mort certaine, le choix était facile.

Il s'enfonça dans le brouillard. Juste à temps. Il entendit s'approcher ses poursuivants, le bruit de leurs chevaux au galop déjà à demi étouffé par la brume. Il accéléra le pas et, pour faire bonne mesure, tira l'épée.

Une voix sourde retentit, mais Anthony était déjà trop loin pour comprendre ce qu'elle disait.

— La Lande Maudite ! Jamais les bêtes ne s'enfonceront là-dedans, tu peux être sûr...

— Et moi non plus, cracha un second assassin. Pas question que j'aille me perdre dans ce merdier.

— Nous avons un contrat, rappela un troisième homme. Si nous revenons à Kantellän sans l'avoir fini, c'est nous qui le serons.

— On s'en fiche! reprit le deuxième. On n'a qu'à dire qu'on lui a fait la peau, l'Elfe n'a pas demandé qu'on lui ramène le corps. Non?

— T'as raison. De toute façon, il va crever là-dedans, conclut le premier mercenaire.

Les trois assassins éclatèrent d'un rire sombre.

Près d'un mois s'était écoulé depuis l'annonce de la mort d'Anthony.

Officiellement, Tiarana racontait qu'il avait été retrouvé et exécuté par les gardes royaux non loin de la capitale. Moraggen et Vikh se doutaient bien qu'il ne s'agissait pas de la pure vérité. On avait annoncé sa mort un peu plus d'une semaine après qu'il eut quitté la princesse. C'était impossible qu'il fût encore aux alentours de Kamazuk à ce moment. Les assassins avaient accompli leur tâche, sans même se donner la peine de ramener la dépouille à Kamazuk.

La première semaine avait été la plus pénible pour l'entourage de Moraggen. Elle était inconsolable et s'irritait des tentatives des habitants de Kantellän pour la réconforter. Lasse d'avoir à supporter les «Vous vous en remettrez!», les «Tenez bon!» et les «Vous trouverez quelqu'un de bien mieux!», elle avait interdit l'accès à ses appartements à quiconque d'autre que Tilly, Elsabeth et Vikh. Aussi, elle ne sortait que rarement et, lorsqu'il lui arrivait de le faire, elle s'imposait un mutisme parfait. Le temps avait un peu calmé les choses, mais la princesse était loin d'avoir terminé son deuil.

Ce jour-là, Moraggen était agenouillée devant l'autel du Grand Temple d'Aether.

Ses jupes noires s'étalaient autour d'elle. Cependant, sachant qu'il ne servait à rien de vouloir se cacher des dieux, elle avait relevé son voile.

La jeune femme avait ressenti un besoin de solitude et le seul moyen qu'elle avait trouvé pour en obtenir avait été de quitter Kantellän. Sans qu'elle ne l'ait voulu réellement, ses pas l'avaient menée vers le temple, dont les quatre hautes tours et la gigantesque coupole multicolore s'élevaient au-dessus de tous les autres bâtiments de la Haute Ville.

Depuis des heures, elle était là, priant en silence pour les âmes de ceux qui l'avaient quittée, pour que la guerre se termine, pour que le bonheur revienne. Ne sachant pas à quel dieu s'adresser en de pareilles circonstances, elle avait préféré allumer une bougie au cœur du temple, au pied de l'autel d'Aether, dieu suprême.

Alors qu'elle se recueillait ainsi, Moraggen entendit les portes principales s'ouvrir, puis des bruits de pas s'avançant sur la large allée. Elle jeta un regard par-dessus son épaule et constata que Poléus de Nathandel venait à sa rencontre.

Elle n'avait pas eu l'occasion de lui parler depuis le décès d'Obérius.

— Pardonnez-moi d'interrompre vos réflexions, Votre Altesse, commença l'intendant, mais je dois vous ramener au palais à l'instant. La Reine Tiarana vous demande dans la Salle du Conseil. Tout Kantellän est à votre recherche.

Moraggen resta de glace. Elle n'avait pas envie de retourner au château.

— Comment avez-vous su que j'étais ici ? demanda-t-elle.

— J'ai simplement deviné que vous désiriez le calme et le Grand Temple m'a paru un bon endroit où chercher refuge. Je vous raccompagne au château, Votre Altesse ?

La princesse se releva, lissa sa robe pour en enlever les poussières, rabaissa le voile de sa coiffe. Quelque chose changea sur le visage de Poléus lorsque les mains de la jeune femme voulurent ajuster le bijou maintenant la longue cape noire. La broche représentait un phénix doré.

— Moraggen, commença l'homme, sachez que je comprends votre peine. Obérius était mon roi, mais également mon meilleur ami. Anthony était mon fils. Je... Leur perte m'est insupportable.

La future souveraine n'avait jusqu'à présent pas pris conscience que l'intendant et elle partageaient la même douleur. Le visage du régent était marqué par la même tristesse. Ses traits étaient tirés, son regard grave. Il avait les yeux d'Anthony. Moraggen n'avait jamais vraiment remarqué la ressemblance entre le père et le fils. Elle sentit son cœur se serrer en la constatant.

— J'ai perdu tous ceux qui m'étaient chers, poursuivit-il. Obérius et Anthony ont rejoint ma femme et mon frère dans l'Au-Delà, mais je ne peux me laisser aller à ma peine. Il me faut accomplir mon devoir. Lorsque votre père m'a nommé intendant, il m'a conféré plusieurs responsabilités. Je dois les remplir et prouver qu'il avait bien placé sa confiance.

Moraggen accepta le bras que lui offrait Poléus et se

laissa conduire hors du temple, ignorant les statues des douze dieux alignées le long de l'allée.

De retour à Kantellän, l'intendant et la princesse gravirent les nombreux escaliers les séparant de la Salle du Conseil et, bientôt, y entraient. Dès lors, les regards se tournèrent vers eux et les hommes se levèrent pour saluer l'héritière.

La pièce était immense, éclairée par des fenêtres à la hauteur des murs, offrant une vue sur les toits de Kamazuk. De petits fragments de terre cuite formaient sur le sol une mosaïque colorée. Les membres du conseil avaient pris place sur une longue table de chêne.

Le but premier du Grand Conseil était le maintien de la paix en Asapmy. Ses membres ne se réunissaient habituellement qu'aux trois ans, mais vu les présentes circonstances, une session d'urgence avait été prévue. Le conseil était composé des membres les plus influents de l'aristocratie asape. On y retrouvait majoritairement les seigneurs des capitales de toutes les provinces, mais aussi, en moindre représentation, des bourgeois prospères, des religieux, des sorciers et les plus fins stratèges du royaume.

Moraggen repéra immédiatement Kheldrik ainsi que son père, le Général Geffroy de la Garioch, chef des Chevaliers d'Aanor. Ils se tenaient non loin de la Reine Tiarana. Le chancelier et le Grand Mage siégeaient également. Savath échangeait à voix basse avec une superbe femme, grande et brune, venue du Sud. Moraggen se souvint d'elle comme la Grande Prêtresse de Sycorax, une ville au bord du fleuve Immobile. À ses côtés se tenait le Duc de Kamazuk, un homme corpulent à l'air sympathique, avec des cheveux bleu ciel et une barbe fournie, qui s'occupait des affaires de la ville. Les autres membres du Grand Conseil lui semblaient familiers, mais la princesse était incapable de leur associer correctement leurs noms. Elle n'avait jamais accordé d'importance à ce genre de réunion, même si son devoir lui commandait de s'impliquer. Moraggen s'en voulut.

La jeune femme s'avança lentement jusqu'à une chaise vide, à la droite de sa mère, que Kheldrik tira pour elle. Elle le remercia d'un signe de tête. Poléus prit place auprès d'Adalbald.

— Enfin, vous voilà! l'accueillit la reine. Nous vous attendions pour poursuivre. Moraggen, si nous vous avons convoquée aujourd'hui, c'est pour vous inviter à participer à une mission de la plus haute importance.

— Avec la guerre qui commence, l'Asapmy a besoin de consolider ses alliances, expliqua le Général Geffroy. Pour s'assurer que les liens qui nous unissent aux différents pays alliés soient encore forts, nous enverrons à l'étranger une délégation.

— Cette démarche vise également à assurer la sécurité d'une certaine élite, dont vous faites partie, Votre Altesse, ajouta Adalbald.

— Bientôt, un bateau quittera Kamazuk en direction de Novgorar. La délégation est attendue à Eldel dans trois mois. Il est de votre devoir de la joindre.

— Puis-je savoir qui en fera partie? demanda Moraggen.

— Le Duc Arbustus Lledsamuz. Il vous aidera à faire valoir nos intérêts politiques, répondit partiellement Tiarana.

Le duc se leva alors, souriant.

Il était tout désigné pour le poste qu'on lui avait confié. Moraggen le savait capable de défendre son point de vue; il était souvent entré en conflit avec Obérius au sujet d'affaires d'État. Heureusement, Arbustus n'était pas le genre d'homme à nourrir des rancunes et avait toujours été fidèle à son roi. Pourtant, bien que le Duc de Kamazuk ait à cœur le mieux-être de ses concitoyens, il n'hésitait pas à se réserver une part considérable des taxes et impôts. Il ne se gênait pas non plus pour dilapider sa fortune et était reconnu pour n'avoir jamais manqué un seul bal, ni un seul festin. La princesse lui trouvait plus de points communs avec les riches bourgeois de la Haute Ville qu'avec la noblesse.

— Ce sera un honneur de voyager à vos côtés, Votre Grâce, déclara Arbustus, baissant respectueusement la tête.

Moraggen lui décocha un pâle sourire, avant de se rappeler qu'elle portait toujours son voile. Tant pis.

Entre-temps, Geffroy avait pris la relève pour informer Moraggen du projet qu'ils avaient conçu en son absence.

— Afin d'assurer votre protection en ces temps difficiles, nous avons choisi d'envoyer mon lieutenant, Sire Velfrid Kavalcan. Il est expérimenté et efficace, vous n'aurez rien à craindre.

Le militaire qui venait d'être présenté se leva sèchement pour saluer la princesse. Il était grand et large d'épaules, avec un regard perçant et des cheveux bleu

encre, coupés court. Moraggen retint un soupir. Visiblement, cet homme n'entendait pas à rire. Le voyage promettait d'être ennuyeux.

Tiarana reprit la parole:

— Pour faire comprendre la gravité de notre situation à nos alliés, nous avons jugé bon d'envoyer le chef
des légions de Kâ'Sham: Ihmon de Krapul. Avec Votre
Altesse, monsieur le duc et Sire Velfrid, il défendra nos
intérêts politiques, tout en aidant à établir des straté-
gies militaires.

— Ihmon a mis au point une nouvelle technique de
combat qu'il enseigne à l'Académie Nemlëss de Kâ'Sham,
expliqua Adalbald. Cette méthode originale connaît un
franc succès.

— Merci, sorcier.

Le soldat se leva à son tour. Moraggen l'avait remarqué dans l'assemblée avant qu'il ne parle; aucun autre
homme présent n'avait la stature d'un guerrier de
Kâ'Sham. Ihmon de Krapul frôlait la soixantaine, mais
restait redoutable. Il imposait le respect. Ses cheveux
gris étaient retenus en un catogan par une bande de
cuir et sa peau hâlée se ridait quelque peu aux coins de
ses yeux sombres.

— On m'a demandé que Sire Kheldrik soit placé sous les ordres de Kavalcan afin de garantir votre sécurité, annonça Geoffroy. Bien sûr, il ne sera pas seul: les hommes les plus valeureux des garnisons de Sire Velfrid et de Krapul vous accompagneront également.

Le général s'arrêta soudain: un bruit venu du fond de la pièce avait attiré son attention. Les portes s'ouvrirent et Elsabeth entra d'un pas vif. Voyant tous les regards fixés sur elle, la divinus rougit légèrement. Elle s'inclina devant Tiarana, mais ayant clairement l'air de s'adresser à Moraggen, elle dit:

— Veuillez excuser mon retard, Votre Majesté. J'ai eu un empêchement.

— Vous êtes pardonnée, divinus, répondit la reine, sans se rendre compte de cet affront. Prenez place.

Elsabeth obéit. Sa voix résonna dans l'esprit de Moraggen:

— J'étais avec Vikh lorsqu'on est venu me chercher. Il a été exclu de la rencontre, ce qui l'a vexé. Nous nous sommes longtemps disputés avec les gardes, mais rien à faire. Je me suis résignée à entrer seule, mais lui attend de l'autre côté de la porte.

La reine réclama de nouveau l'attention générale et convia Elsabeth à faire partie de la mission.

— En tant que prêtresse et sorcière, vous aurez à protéger la délégation.

La divinus, ravie, accepta aussitôt.

S'ensuivit une conversation animée sur les préparatifs du voyage. On conclut qu'en plus des dignitaires et des soldats, il faudrait un guérisseur en cas d'attaque. Moraggen proposa d'emblée le forgeron, dont les pouvoirs les avaient plus d'une fois sortis d'affaire, ses amis et elle, lors de leur quête de l'antidote. Son vœu ne fut pas retenu, quelqu'un d'autre avait été désigné. Elle réussit cependant, appuyée par Kheldrik et Elsabeth, à convaincre l'assemblée que la présence d'un forgeron était absolument essentielle pour réparer les armes des gens affectés à sa protection s'il y avait effectivement une embuscade. Sous ce prétexte, leur ami fut donc finalement admis au sein de la délégation.

Enfin, respectant la volonté de Tiarana, une suivante d'origine elfe fut imposée à l'équipe. Elle aiderait la princesse à perfectionner son elfique et familiariserait les autres avec la culture bien particulière de Novgorar.

Ses annonces complétées, la Reine Tiarana les congédia tous. Les membres de la délégation se réuniraient bientôt, y compris les soldats, l'équipage du bateau, le forgeron et le guérisseur. Le grand départ devait avoir lieu dans deux mois.

Anthony venait tout juste d'ouvrir les yeux et n'avait aucune idée de l'endroit où il pouvait être.

Il était allongé sur une couchette trop petite pour lui, si bien que ses pieds étaient appuyés sur une pile de livres. Le jeune homme voulut se redresser, mais une douleur fulgurante le transperça et il se laissa tomber. Tout lui revint alors en mémoire.

C'était arrivé au cours de sa troisième nuit dans les Plaines Vertes. Il avait mis deux semaines avant de parvenir à trouver le moyen de sortir de la Lande Maudite. Ses pas l'avaient mené au sud, vers les plaines, des terres plus hospitalières. Prenant la relève des mercenaires engagés par Tiarana, les spectres qui l'avaient traqué sur la lande étaient cependant toujours sur ses traces et revenaient le torturer jusque dans son sommeil. Les rumeurs étaient fondées. On pouvait facilement perdre la vie et la raison sur la Lande Maudite. Les ténèbres, la solitude, la peur, viendraient à bout de n'importe qui aussi efficacement que le plus terrible des *poltergeist*. Anthony était tombé dans le gouffre du désespoir. Sans cesse, il revoyait sa Moraggen, le jour de leurs adieux, lever vers lui un regard assuré. Il revoyait Kantellän, se rappelait qu'il avait failli y trôner, qu'il y trônerait peut-être?

Ce soir-là, il avait refusé d'interrompre sa marche, dans l'espoir vain de distancer ses fantômes. La fatigue ne l'avait pas encore gagné. Il avait lutté une fois de plus. Il n'abandonnerait pas. Il avait le monde devant lui, pourquoi n'arrivait-il qu'à regarder derrière?

Il s'était arrêté subitement, alerte, ressentant une présence tout près de lui. Les plaines étaient sombres; il était impossible d'y voir quoi que ce soit.

Profitant de cet avantage, une panthère avait surgi de l'ombre et bondi sur lui. Anthony avait été projeté sur le sol, le poids de l'animal l'écrasant immédiatement. Il avait voulu tirer sa dague, mais n'y était pas parvenu. Il s'était donc débattu de son mieux, sans succès, une fois de plus. Lui arrachant un cri désespéré, la bête avait enfoncé ses puissantes griffes dans la peau. Au moment où il allait se résigner au pire, il avait vu une lumière, tout près, et senti la panthère s'éloigner. Puis, il avait perdu conscience.

Anthony ignorait ce qui s'était passé depuis.

Il tourna la tête, de façon à pouvoir observer dans son ensemble la pièce où il se trouvait. C'était une petite salle au plafond bas, éclairée par quelques chandeliers posés de-ci de-là. Près du lit: une bibliothèque bien garnie et une table de chevet sur laquelle étaient posées ses armes. De l'autre côté: une grande armoire, une échelle et une table, où était assis un homme aux traits des plus singuliers. Anthony ne s'en étonna pas. Il avait maintes fois entendu la description de ce curieux personnage alors que Moraggen racontait son aventure. Il faisait face à Tom, un Zellien sous le totem du raton laveur et gardien du légendaire Arbre Bleu. Tom avait eu la gentillesse d'aider la princesse et ses amis alors qu'ils avaient traversé les plaines en quête de l'antidote. Tel que décrit, l'homme avait bien les cheveux poivre et sel ainsi qu'un visage mince à l'œil vif entouré d'un masque noir, mais ne correspondait pas exactement à l'image que s'était faite le jeune homme. Il se l'était représenté moins dodu, moins vieux et plus petit.

Remarquant que l'Asap était réveillé, Tom le salua:

— Bonsoir! Je suis heureux de constater que vous avez repris conscience. Comment allez-vous?

— Que s'est-il passé?

— J'effectuais ma dernière ronde lorsque cette panthère vous a attaqué. Vous perdiez beaucoup de sang, je vous ai donc recueilli, dit le Zellien, confirmant ce que croyait Anthony. Vous avez quelques côtes cassées et une grave blessure à l'abdomen, je vous suggère de rester allongé.

Le Gardien remplit une coupe d'eau puis l'apporta au blessé.

— Mais où sont mes manières? s'exclama-t-il soudain. Je me présente: Tom, le Gardien. Pourrais-je savoir à qui ai-je l'honneur et quelle est la raison de votre venue dans les Plaines Vertes?

— Je suis Anthony de Nathandel. J'ai dû fuir l'Asapmy, condamné pour haute trahison, défi à la couronne et régicide.

— Vous me paraissez bien jeune pour avoir commis de pareils crimes, dit Tom, aidant Anthony à boire. Êtes-vous victime d'une quelconque injustice ou payez-vous simplement le prix de votre ambition?

— Je n'ai pas tué mon roi comme on m'en accuse, déclara aussitôt le fugitif, content de pouvoir mettre cette chose au clair. Mais j'ai bien trahi mon peuple...

Tom le crut sur parole.

Les deux hommes passèrent le reste de la soirée à faire connaissance. Anthony appréciait la compagnie du Zellien qu'il trouvait cultivé et respectueux. Il savait qu'il serait forcé de passer plusieurs jours sous l'Arbre Bleu et était bien heureux d'être laissé aux soins de quelqu'un de confiance, qui ne cherchait aucunement à le juger. Tom semblait être un homme bon.

Le Gardien lui avait raconté la raison qui l'avait poussé à rejoindre les Plaines Vertes et Anthony l'avait écouté avec fascination. Semblablement à lui, il avait été exilé à la suite d'un meurtre, dont il était coupable, cependant. À l'époque, l'homme raton laveur courtisait la même femme qu'un jeune noble de sa race. Pour résoudre ce problème, ce dernier l'avait provoqué en duel. Tom avait remporté le combat, mais les parents de son ennemi étaient de puissantes gens, qui plaidèrent auprès des autorités et le firent condamner. Après plusieurs semaines d'errance dans les plaines, il avait reçu une proposition des dieux. Le précédent gardien de l'Arbre Bleu, d'un âge avancé, allait sous peu rendre l'âme et les dieux avaient jugé Tom apte à le remplacer. Le Zellien avait accepté la tâche qu'on lui confiait, content de retrouver un but à sa vie et, depuis ce jour, protégeait les environs.

Bien qu'intéressé par ce que racontait son hôte, Anthony avait de la difficulté à tenir la conversation. Il était épuisé et ses blessures le faisaient terriblement souffrir. Tom le remarqua aussitôt. Il lui offrit une potion qui calmerait sa douleur et l'aiderait à dormir. Dès qu'il l'eut avalée, Anthony sentit son corps se détendre, ses troubles se dissiper.

9

RESPONSaBILITÉS

Moraggen, Elsabeth, Vikh et Kheldrik étaient rassemblés dans la cour de Kantellän.

Le grand départ vers le royaume des Elfes aurait lieu dans un mois. Les membres importants de la délégation avaient appris à mieux se connaître durant les nombreuses réunions les préparant aux négociations. Ceux qui étaient exclus de ces rencontres officielles, tels Kheldrik et Vikh, avaient également commencé à fraterniser. Vikh s'était, par exemple, trouvé des affinités avec Jörg et Joerg, des jumeaux identiques, mercenaires de la garnison de Krapul.

La frénésie précédant les importants voyages commençait à tous les gagner. Même Moraggen reprenait vie peu à peu. En revanche, les préparatifs étaient sans intérêt, c'est pourquoi les jeunes gens essayaient maintenant de trouver un moyen d'échapper à une autre longue journée de réunions.

—Et si on allait à la Ruche pour changer? proposa Vikh.

— Bonne idée! s'écria Moraggen. J'ai besoin de quitter Kantellän, je n'en peux plus de toutes ces discussions inutiles.

— Hors de question, c'est beaucoup trop dangereux, déclara Kheldrik, catégorique. Ai-je vraiment besoin de vous rappeler que nous sommes en guerre? Il y a des Gnomes sur le territoire.

— Sire Kheldrik aurait-il peur? se moqua Elsabeth.

Suivant les recommandations du Duc de Kamazuk et de Novell Tanhaed, l'Elfe désignée par la reine, les jeunes gens essayaient de prendre l'habitude d'employer leurs titres officiels plutôt que des surnoms amicaux. Une telle attitude visait à démontrer leur sérieux, calmant ainsi les craintes que pourraient avoir les gens de Novgorar quant à leur jugement, leur diplomatie et leur morale.

Kheldrik, comme toujours, prenait la chose au sérieux.

— J'ai peur pour ma reine, oui. Qu'arriverait-il si les ennemis mettaient la main sur Moraggen?

Cette dernière soupira. Elle savait qu'elle devait accepter ses responsabilités, mais cela signifiait-il vraiment qu'elle ne pourrait jamais plus s'amuser? Tout était subitement tellement grave.

Lorsque les quatre amis avaient choisi de partir à la recherche de l'antidote, c'était pour trois raisons: la soif d'aventure, la poursuite de la gloire et le désir d'être considérés pour de bon comme des adultes. Ils ignoraient cependant que des évènements tragiques s'abattraient sur eux à leur retour et qu'ils devraient endosser de lourdes responsabilités.

Moraggen se jugea idiote de ne pas l'avoir fait plus tôt, mais venait de se rendre compte qu'être princesse et héritière du royaume signifiait qu'elle devait gouverner. Jusqu'à la mort d'Obérius, elle avait vécu dans l'oisiveté. Pour elle, une décision sérieuse était un choix à faire entre deux robes de soirée, entre une journée dans les jardins ou à la plage, entre aller à ses leçons ou rejoindre ses amis en ville. Son père l'avait toujours protégée du pouvoir, et elle lui en voulait aujourd'hui de l'avoir tant gâtée.

Ces derniers temps, elle tâchait d'apprendre à faire passer son devoir avant ses envies et se débrouillait plutôt bien. Malgré sa peine, elle multipliait les discours et les visites officielles. Elle se rendait également parmi le peuple, qu'elle tentait de rassurer au meilleur de ses capacités. Pour sa plus grande fierté, elle avait découvert que les villageois avaient commencé à la comparer à Anaëlle de Nathandel. Preuve que ses efforts portaient leurs fruits.

Aujourd'hui, elle n'avait pas envie d'être sérieuse. Elle avait besoin de retrouver ses amis, de s'assurer qu'elle n'avait pas oublié qui elle était à force de sacrifices.

— Nous irons à la Ruche, décida-t-elle. Nous avons tous besoin d'une pause.

— Moraggen... commença le chevalier.

— Sire Kheldrik, je vous ordonne de me conduire à la Ruche immédiatement. Je vous fais également l'honneur de vous confier la protection de ma royale personne.

— Pardon?

Vikh et Elsabeth éclatèrent de rire.

— Son Altesse t'a bien eu, là, vieux, releva le forgeron. Je vais préparer nos montures.

Quelques instants plus tard, ils étaient tous rassemblés dans le petit salon de leur repaire secret.

— Je pense que cette expédition à Novgorar nous fera du bien, dit Elsabeth. Depuis notre retour des Plaines

Vertes, nous avons tous eu droit à un lot de malheurs. C'est une excellente occasion de se changer les idées.

— Ça tombe très bien, en effet. J'avais besoin d'un prétexte pour me débarrasser d'Églantine, expliqua Vikh. Elle est vraiment convaincue que je vais l'épouser...

Églantine était en quelque sorte la petite amie du forgeron. Il l'avait rencontrée dans une fête quelques lunes avant son départ pour les Plaines Vertes, mais, depuis qu'il était revenu en héros, la jeune femme se présentait à tous comme sa fiancée. Elsabeth se plaisait à dire que Vikh fréquentait cette fille pour sa grande intelligence, ce qui était bien sûr un vilain sarcasme.

— Tu pourrais marier la pauvre fille, Vikh, proposa la divinus. Elle mourrait certainement de joie et plus personne n'aurait besoin de la supporter.

— Je ne prendrai pas ce risque, décida le séducteur, amusé. De toute façon, je n'ai plus de temps pour les filles, je passe toutes mes journées à la forge. Avant, j'avais mes après-midi de libres, mais avec ma promotion et avec la guerre qui se prépare, je n'ai plus une seconde pour souffler.

— Au moins, tu as de quoi t'occuper. Moi, je perds mon temps à Kamazuk en attendant le départ. À Fyodor, je montais une garde civile pour que mes gens puissent se défendre si la guerre se rendait jusqu'à eux. Ils faisaient tous beaucoup de progrès...

— Comme vous faites pitié, plaisanta Elsabeth. J'ai deux fois plus de leçons qu'avant et je ne me plains pas!

Moraggen pouffa. C'était complètement faux. Sa meilleure amie lui avait fait part la veille de ses inquiétudes concernant toutes ses nouvelles responsabilités. La Reine Tiarana l'avait de nouveau exclue du Conseil en faveur de Savath, prétextant que le Grand Prêtre était plus expérimenté. Elsabeth se demandait cependant si telle était la vraie raison. De jour en jour, la divinus apprenait la vérité sur elle-même, et, si elle avait compris combien ses pouvoirs la rendaient redoutable, elle craignait de ne pas être à la hauteur. Elle évaluait maintenant davantage le poids de son don, fardeau qu'elle portait sur ses épaules depuis l'enfance: elle était la seule Asape capable d'interpréter la volonté des dieux.

Les jeunes gens entendirent soudain un hurlement suraigu provenant de l'extérieur. Un animal ressemblant à un gros oiseau aux plumes d'un bleu presque noir passa à toute vitesse entre les volets ouverts de la Ruche.

Apercevant les Asaps, il s'arrêta brusquement et fit volte-face. Elsabeth se précipita à la fenêtre, imitée par Vikh.

— Qu'est-ce que c'était? demanda le forgeron, furieux.

— Rien. Un oiseau. Il a dû entrer ici par erreur.

— Elsie, je sais reconnaître un griffon quand j'en vois un!

— Calme-toi, Vikh, intervint Moraggen. C'est le petit du labyrinthe, c'est ça? Comment s'est-il retrouvé ici?

Elsabeth soupira et s'appuya au rebord de la fenêtre. Sous le regard inquisiteur de Vikh, elle expliqua que le griffon, gardien du labyrinthe sacré des Plaines Vertes, les avait suivis pendant la première journée du voyage de retour et qu'il s'était caché dans son sac alors qu'ils se reposaient. Il les avait ainsi accompagnés jusqu'en Asapmy, sortant la nuit pendant les tours de garde d'Elsabeth pour chasser et se dégourdir. Elle n'avait pas osé leur dire la vérité, redoutant que son ami ne s'emporte.

— Apparemment j'ai bien fait, regarde comment tu agis encore, s'irrita la divinus. Mais... maintenant que tu connais la vérité, je vais le rappeler.

Vikh retourna s'asseoir lourdement.

— Grimoniou! héla Elsabeth. Reviens, ça va!

Un instant plus tard, le griffon était de retour, faisant son entrée lentement et en silence, cette fois. Alors qu'il s'approchait, méfiant, Elsabeth alla chercher un épais gant de cuir, comme ceux utilisés par les fauconniers. Une fois qu'elle l'eut mis, le griffon se posa sur son bras.

Moraggen s'approcha d'eux. Elle s'étonna de remarquer que la créature avait doublé de taille depuis la dernière fois qu'ils s'étaient vus; elle faisait maintenant plus de trente centimètres de haut.

— Bonjour, petit, l'interpella la jeune femme.

— Salut, Princesse Moraggen! J'avais hâte de te voir, on m'a dit que tu étais très triste.

— Oui, j'ai vécu des moments difficiles depuis notre dernière rencontre.

— J'ai appris pour ton père et pour ton amoureux. Maîtresse Elsabeth s'inquiétait beaucoup pour toi. Elle avait aussi peur que tu lui en veuilles...

— Grimoniou, siffla la divinus. Tais-toi!

— J'ai trop parlé, s'excusa le petit animal.

— Pourquoi t'en voudrais-je? demanda Moraggen à son amie. Tu as toujours été là quand j'avais besoin de toi, tu as enduré toutes mes crises. Je sais que tu as fait de ton mieux pour me consoler.

Elsabeth garda le silence. Elle détournait le regard. C'est le griffon qui, sans le vouloir, répondit à la question:

— Je croyais que tu devais lui dire la vérité, concernant le traître et ta vision et tout, s'enquit-il, s'adressant à sa maîtresse.

— Ça suffit, Grimi!

— Que veut-il dire?

— La nuit du meurtre, les dieux m'ont envoyé une vision d'Anthony, s'expliqua la divinus, hésitante. J'ai vu qu'il complotait avec les Gnomes.

— Moi aussi, j'étais au courant, avoua Vikh.

Tous laissèrent échapper une exclamation de surprise. Elsabeth, devinant que la suite des évènements serait embarrassante, renvoya Grimoniou qui avait déjà causé assez de problèmes.

— Ouais... reprit Vikh, l'air de se demander s'il avait bien fait de parler. C'était quelqu'un de bien, au fond, vous savez. Avec toi parti et les filles prises dans leurs occupations mondaines, nous avons passé pas mal de temps ensemble, Anthony et moi. Il m'a avoué ça assez vite.

— Il était idiot, dans ce cas, dit sèchement le chevalier. Te confier un tel secret...

— Pas du tout, on dirait bien qu'il avait raison de lui faire confiance, se fâcha Elsabeth.

Elle se retourna vers Vikh, emportée, ce dernier regrettant maintenant pour de bon les paroles qu'il venait de prononcer.

— Comment as-tu pu être son complice? s'écria-t-elle.

— Que voulais-tu que je fasse?

— Dire la vérité! Tu as laissé ce salaud poursuivre sa vie comme si de rien n'était. Il s'apprêtait à épouser Moraggen!

— Il l'aimait, Elsie. Il regrettait tellement ce qu'il avait fait. C'était sincère.

— Ne va pas me dire que tu l'as cru? Vikh Dummkopf, si tu l'avais dénoncé, Obérius serait encore vivant!

— Et si tu ne l'avais pas fait, Elsabeth Tumlyn, Anthony le serait lui aussi!

— Que veux-tu dire? s'interposa vivement Moraggen.

Le forgeron n'osa répondre. L'air semblait rempli d'électricité. Kheldrik baissa la tête, mal à l'aise. Vikh soupira profondément, puis se leva, leur tournant le dos. Affrontant le regard de Moraggen, Elsabeth prit son courage:

— Qu'attendais-tu de moi? Tu croyais que je laisserais ma meilleure amie tomber dans le piège d'un profiteur comme lui? Au matin, la première chose que j'ai faite a été d'aller le dénoncer au roi. C'est alors que j'ai appris la mort d'Obérius et...

— Anthony n'a pas tué mon père! Il aurait pu le prouver! s'emporta la princesse. C'est ta faute, alors! À cause de toi, il a dû fuir et aujourd'hui... aujourd'hui il est mort!

— Moraggen, tais-toi, coupa Kheldrik. Tu ne sais pas ce que tu dis.

— Au contraire, je le sais très bien. Anthony n'était pas un menteur ni un meurtrier.

— Il est temps de te réveiller, Moraggen, poursuivit Elsabeth, sans tenir compte de l'intervention de Kheldrik. Il n'est pas mort par ma faute. Par contre, c'est de la sienne si Obérius n'est plus des nôtres. Même si, je dis bien si, c'était vrai qu'il n'était pas responsable du meurtre du roi, il a tout de même trahi l'Asapmy. Il méritait ce qui lui est arrivé.

Moraggen retenait ses larmes une fois de plus. Elle ne pouvait donner raison à Elsabeth. Anthony était un traître, certes, mais elle l'aimait. Encore. Comment la divinus pouvait-elle être aussi insensible, elle qui leur avait prédit un avenir ensemble, un enfant?

— Et ta prophétie là-dedans? tenta la princesse, ne sachant trop ce qu'elle espérait qu'Elsabeth lui réponde.

— Adalbald s'est trompé. J'ai raison. C'est tout.

Les deux jeunes femmes échangèrent un long regard, empli de colère, de déception et de regrets. Vikh et Kheldrik semblaient se demander de quoi il était question. Ils ne savaient pas pour la prophétie. Tant pis, se dit Moraggen. Elle laisserait à Elsabeth le soin de les informer.

La princesse quitta son siège.

— Je ne resterai pas ici une seconde de plus, annonça-t-elle.

— Je t'accompagne, dit Kheldrik d'un ton qui ne laissait pas place à une objection. Il commence à être tard. De plus, Tiarana nous a conviés, toi et moi, pour dîner ce soir. Tu te souviens?

Moraggen marmonna une vague réponse, se saisit de son sac, puis quitta la Ruche. Vikh sembla esquisser un geste pour les retenir, mais y renonça. Cela ne servirait à rien. La journée était gâchée.

10

UNE DÉCISION À PRENDRE

Le soleil se couchait sur les Plaines Vertes.

Le Gardien quitta l'Arbre Bleu pour effectuer sa dernière ronde avant la tombée de la nuit. Tous les jours, peu importe ce que lui offraient les plaines, été comme hiver, Tom faisait ses trois tours de garde. Il sortait à l'aube, au midi et au crépuscule. Parfois, s'il pressentait que cela pouvait être utile, il allait marcher en pleine nuit. La dernière fois qu'il l'avait fait, il avait secouru le jeune Asap. Depuis, il s'était écoulé près d'un mois et aucun autre voyageur ne s'était aventuré près de l'arbre sacré.

En apercevant l'exilé assis, adossé à l'Arbre Bleu, Tom ne put retenir un soupir. Anthony n'avait pas bougé depuis le matin. Il restait immobile et silencieux, observant, semblait-il, le vide, l'infinie étendue des plaines.

Le Zellien savait pourtant que son protégé ne voyait rien du magnifique paysage devant lui. Son regard était voilé, éteint.

Anthony était retombé dans cet état misérable, celui dans lequel il l'avait trouvé, des semaines auparavant.

Au début, le jeune homme refusait de sortir. Il avait fallu des jours et des jours au Gardien avant de le convaincre d'aller prendre un peu d'air frais, mais ses efforts n'avaient pas été vains. Tom avait repris confiance et avait même fini par inviter l'Asap à faire ses rondes en sa compagnie. Anthony quittait la demeure sous l'Arbre Bleu en même temps que le propriétaire. Parfois, il marchait avec lui et, en d'autres occasions, restait au pied de l'arbre, lisant ce qu'il avait trouvé dans la bibliothèque de l'homme raton.

Aujourd'hui, pourtant, Anthony semblait avoir oublié tous ses progrès.

Pour la troisième fois dans la journée, Tom risqua une tentative:

— J'apprécierais bien de la compagnie pour ma dernière ronde, lança-t-il, mine de rien.

Anthony tourna les yeux vers le Gardien. Une seconde. Puis, son regard se perdit de nouveau. Il n'avait même pas pris la peine de hausser les épaules, n'avait même pas essayé de formuler une réponse.

Tom reprit son chemin, seul. Il savait à quoi pensait son ami...

Il attendait.

La princesse et le chevalier partageaient le repas de la Reine Tiarana dans l'une des somptueuses salles à manger du château. Si la pièce, aux murs hauts et aux nombreuses fenêtres, était pleine, peu d'élus étaient assis à la table de la reine. Les jeunes gens discutaient entre eux, sans toutefois revenir sur les évènements du jour, mais Tiarana et le Chancelier Dehgran venaient de s'introduire dans la conversation.

Moraggen détestait Dehgran. Il était toujours vêtu de la même courte cape de velours magenta. Il s'agissait de la couleur de sa famille, mais la princesse trouvait que la cape lui donnait l'air d'une grosse cerise. De plus, il parlait d'une voix basse et monotone, incapable, semblait-il, de s'exclamer. Peut-être était-ce pour cette raison que la reine et lui étaient si proches ? Tiarana elle-même était d'une telle froideur...

— Il est bien agréable de vous recevoir à notre table, Sire Kheldrik, dit la reine, mielleuse. Votre absence est remarquée, ici à Kantellän.

— Il est vrai que nous étions accoutumés à votre présence, pendant ces sept années au côté de ce bon Roi Obérius, ajouta le chancelier. Les choses ne sont plus ce qu'elles étaient.

— Oui, regardez quel bel homme vous êtes devenu! s'enthousiasma Tiarana.

— Vous me faites trop d'honneur, Votre Majesté, bredouilla Kheldrik, embarrassé.

— Vous nous manquez beaucoup en ces temps difficiles, continua néanmoins la souveraine. Heureusement, avec les changements qui auront lieu sous peu, la situation risque de se modifier.

— Que voulez-vous dire? demanda Moraggen.

Cette conversation amicale la laissait perplexe. Pourquoi toutes ces flatteries? Quel service ces deux rats allaient-ils demander à son ami? Elle restait sur ses gardes, convaincue que cela n'augurait rien de bon.

— Nous avons un grand évènement à célébrer, avertit la reine. L'Asapmy aura bientôt un nouveau roi!

— Vous reprenez un mari, ma Dame? demanda poliment le chevalier.

Tiarana éclata d'un rire froid, sec.

— Ce ne serait pas convenable, voyons. Je ne pourrais prétendre au trône asap. C'est vous, ma fille, qui allez vous marier.

Moraggen laissa tomber ses couverts, stupéfaite. Il y avait certainement une erreur.

— Pardon?

— Vous avez bien entendu. Il y a longtemps que nous avons accordé votre main à un vaillant cœur. Feu votre père avait pris cette décision afin d'éviter une crise si un quelconque malheur s'abattait sur lui.

Moraggen se trouva soudainement plongée dans ses souvenirs. Le jour, ce jour si lointain qu'il lui semblait presque qu'elle l'avait rêvé, où Anthony avait obtenu sa main, il lui avait glissé mot d'un précédent mariage espéré pour elle par sa mère.

— Qui dois-je épouser? voulut-elle savoir, encore choquée.

— Moi, admit Kheldrik.

— C'est une plaisanterie, n'est-ce pas?

La princesse se détendit un peu. Suivant les conseils de Vikh, Kheldrik lui avait probablement organisé cette mise en scène pour lui faire oublier leur querelle. Comment avait-il pu convaincre sa mère de participer?

— C'est la vérité, Moraggen, acheva le jeune seigneur, l'air déconfit.

— N'êtes-vous pas heureuse, ma fille? se précipita Tiarana. J'avais cru deviner que Sire Kheldrik et vous éprouviez une amitié réciproque.

Moraggen se leva, animée d'une soudaine colère.

— Je n'épouserai pas Kheldrik. Jamais, trancha-t-elle.

— Assoyez-vous, Votre Altesse, la pria le chancelier. Vous vous donnez en spectacle.

— Je m'en fiche!

— Vous n'avez pas le choix, la rabroua l'Elfe. Nous avons besoin de consolider nos alliances. Le peuple n'appuie pas ma régence et vous êtes en âge de diriger. Un mariage politique n'est pas une si triste chose, Moraggen. De plus, Kheldrik est un jeune homme respectable, raisonnable. Il est un juste seigneur et ferait un mari exemplaire. L'Asapmy a besoin de lui.

La princesse reprit sa place à table. Elle se retourna lentement vers son ami.

— Depuis quand savais-tu?

— Mon maître m'a annoncé la nouvelle il y a deux ans, dit-il. Il m'a ordonné de n'en parler à personne, pas même à toi.

— D'après ce que j'ai cru comprendre, Sire, commença Dehgran, vous n'émettez aucune objection à cette union?

— J'accepterai les décisions prises.

— Pas moi, se fâcha de nouveau Moraggen. Kheldrik est un véritable frère pour moi. Jamais je ne l'épouserai. Je... Je serais incapable de remplir mes devoirs. Je préférerais mille fois marier un inconnu.

Un bref silence suivit ses paroles lourdes de sens, mais bien vite la reine poursuivait, impitoyable:

— Dans ce cas... Faisant preuve d'une grande générosité, je suis prête à annuler ces fiançailles, car je comprends votre douleur. Mais soyez raisonnable à votre tour: l'Asapmy a besoin d'un roi! J'ai peur de ne pas être très populaire auprès des citoyens, et, avec la guerre en cours, il faut éviter tout problème en notre sein. Un nouveau seigneur, régnant auprès de vous, rassurerait le peuple.

— Si son Altesse est prête à remplir ses responsabilités princières, il y a bien une autre alliance qui nous serait profitable, continua Dehgran. Un jeune prince elfe a récemment demandé votre main, et, si cela peut vous faire plaisir, il vous est totalement inconnu. Acceptez notre offre et nous ferons parvenir un message à Novgorar. On vous y recevra tout autrement, cela va de soi.

— Effectivement, les négociations seront plus rapides. Cette union est un excellent motif pour convaincre mon peuple de rejoindre la cause asape. Le Prince Alemeï Trenassen a déjà plusieurs fidèles qui le suivront dans son nouveau royaume.

Moraggen se forçait à réfléchir. Comment sortirait-elle de cette impasse? La reine, ainsi que le chancelier (de quoi se mêlait-il?), s'avéraient décidés à la marier. Elle aurait voulu que Kheldrik se porte à son secours, mais ce dernier, paraissant triste et nerveux, ne semblait pas en état de proposer son aide.

— J'y réfléchirai plus longuement. Vous aurez la réponse avant mon départ.

— Votre Majesté, nous devons connaître votre avis avant demain si nous voulons avoir le temps d'envoyer une dépêche à Eldel, fit remarquer Dehgran. Autrement, le messager ne pourrait se rendre avant la délégation. Il serait peu approprié que vous soyez reçue telle une diplomate si vous vous fianciez à l'un de leurs plus excellents seigneurs.

La princesse annonça qu'elle rendrait sa décision le lendemain matin et quitta la table, sans terminer son repas. Kheldrik voulut la raccompagner à ses quartiers, mais Tiarana jugea que cela n'était pas convenable. Les deux jeunes gens échangèrent un regard désespéré, puis Moraggen se retira.

De retour à ses appartements, elle se jeta dans les bras de Tilly, lui expliquant la terrible situation dans laquelle sa mère l'avait une fois de plus plongée. Une fois que Moraggen eut retrouvé le calme, les deux femmes discutèrent au coin du brasero.

La nuit était bien avancée lorsqu'elles tirèrent une conclusion.

11

L'ORAGE

Le ciel était couvert d'épais nuages noirs. Le tonnerre grondait furieusement, accompagné d'éclairs qui déchiraient parfois les ténèbres. La pluie, glacée, tombait en diagonale, malmenée par un vent violent.

Faisant fi de l'orage, Moraggen était assise sur le rebord de la grande fenêtre de ses appartements, les jambes repliées sur sa poitrine. Ses joues pâles étaient une fois de plus mouillées de larmes et ses yeux vairons étaient perdus vers l'horizon. Elle portait une robe de mousseline noire, découvrant ses bras et ses épaules, mais se serrait dans la cape d'Anthony, plus pour se donner l'impression qu'il était près d'elle que pour se protéger du froid, bien que le vêtement eût depuis longtemps perdu son odeur.

Près de la cheminée, Tilly brodait en silence. Les quelques autres suivantes qui accompagnaient la princesse s'étaient retirées depuis des heures, ennuyées. La vieille nourrice levait de temps à autre un regard vers sa protégée, mais détournait vite les yeux, le cœur serré. Moraggen avait changé. Moralement, bien sûr, avec tous les malheurs qui lui étaient tombé dessus en si peu de temps, mais aussi physiquement. Ses yeux étaient soulignés de cernes noirs à force d'avoir pleuré. Elle était maigre, faible, fatiguée. De plus, elle passait ses journées à ruminer de sombres pensées, ce qui n'avait jamais été dans ses habitudes. Si l'annonce du voyage à Novgorar avait ranimé la princesse d'une énergie nouvelle, une fois qu'elle en eut connu le vrai motif, ses épousailles avec un diplomate étranger, le poids de sa douleur était retombé sur ses épaules. Aujourd'hui, sa décision désormais rendue, tout effort pour la consoler était vain. Tilly avait renoncé à essayer de lui faire entendre raison. Chaque fois qu'elle prononçait le nom de ce fameux prince elfe, Moraggen s'enrageait, puis tombait dans une déprime quasi catatonique, se demandant sans cesse si elle n'aurait pas mieux fait de choisir Kheldrik, quoiqu'elle s'en sût incapable, et regrettant l'absence d'Anthony.

Le jeune chevalier avait accepté la réponse de Moraggen avec difficulté. Au matin, avant qu'elle ne révèle son choix, il s'était présenté chez la princesse pour lui avouer les sentiments qu'il nourrissait pour elle depuis des années, espérant la convaincre de l'épouser, lui. Il avait promis de l'aimer fidèlement et de la respecter dans ses réticences, de lui accorder le temps nécessaire, l'implorant de lui laisser la chance de gagner son cœur. Cette déclaration honnête avait ébranlé Moraggen, mais elle ne pouvait s'y résoudre. Partager la vie de celui qu'elle avait depuis l'enfance considéré comme un ami, un frère, lui semblait immoral et elle savait qu'il en serait toujours ainsi. De plus, l'Asapmy devait effectivement trouver des appuis à l'étranger.

Kheldrik l'avait quitté profondément blessé, jurant de ne plus aborder le sujet, mais de l'aimer à jamais.

Moraggen poussa un long soupir. Elle sembla se rendre compte qu'elle était complètement trempée et jeta un regard autour d'elle, resserrant sa cape. La pluie avait inondé le carrelage de sa chambre et la pièce était balayée d'un courant d'air glacial, malgré le feu qui brûlait dans l'âtre. La princesse reporta son attention à l'extérieur.

Le tonnerre gronda.

Anthony était sorti prendre l'air lorsque l'orage avait éclaté. Désormais, une pluie froide tombait dru sur sa tête, lui collant les vêtements à la peau. Il se dirigeait vers l'Arbre Bleu, encore loin, mais ne faisait aucun effort pour y arriver plus rapidement. Il n'avait pas envie d'être au chaud, ni de retrouver la compagnie de Tom, aussi sympathisant qu'il fût. C'est auprès de Moraggen qu'il voulait être.

Adalbald avait dit qu'ils ne seraient séparés que pendant quelques semaines, mais plusieurs mois s'étaient écoulés et il n'avait reçu aucune nouvelle. Anthony ne comprenait pas ce qui retenait le sorcier. Certainement pas la distance; celui-ci pouvait apparaître et disparaître d'un endroit à l'autre à sa guise. N'avait-il pas réussi à convaincre le Conseil de son innocence ? Elsabeth n'avait-elle pas témoigné, révélé la signification de sa prophétie ? La Reine Tiarana aurait-elle finalement vaincu malgré tout ? À moins que le Mage de Kamazuk ne garde le silence à la demande de Moraggen... La princesse avait, peut-être, estimé qu'Anthony ne valait pas toute cette peine. Elle l'avait oublié, abandonné. C'était ça, la vérité. Sa vérité.

Non, il ne faut pas désespérer, essayait-il de se rappeler. Il faut lutter. Attendre.

Comment pouvait-il continuer de patienter, lui qui, toujours, avait été un homme d'action? Il ne supporterait plus sa propre inutilité, son impuissance à réagir.

Puis, à quoi bon espérer? Sans Moraggen, il n'avait plus rien. Pourquoi rester alors? Pourquoi attendre?

Le tonnerre gronda.

L'exilé avait la gorge nouée. Le poids de son chagrin l'écrasait. Il tomba à genoux sur le sol boueux et éclata en sanglots. Relevant la tête, il regarda autour de lui: les Plaines Vertes. Pourquoi avait-il voulu s'aventurer dans cet endroit désert? Pour se rappeler combien il était seul?

Il fallait que cela cesse. L'attente.

Il devait agir.

Anthony arracha son Amulette d'Aether et tira sa dague.

Le tonnerre gronda. Le jeune homme releva sa manche afin d'exposer son poignet à la lame.

Il hésita quelques secondes, puis inspira longuement, décidé. Il leva son arme d'un mouvement vif.

Son visage se crispa dans une expression de douleur, puis de profonde satisfaction. Immobile, il regarda le sang ruisseler le long de son bras. Un sourire étira ses lèvres alors qu'il observait la vie lui échapper en un torrent écarlate. Anthony relâcha son poignard. Souriant toujours, il se remit soudain à pleurer, son corps à trembler. Moraggen, murmura-t-il, incapable de se taire. Elle l'entendait. Pour la dernière fois. Même si elle l'avait oublié, elle l'entendait, c'était certain.

Le tonnerre gronda.

Sans prévenir, Tom surgit derrière lui. Le Zellien sembla d'abord surpris, puis enragé. Il se planta devant le jeune homme et le gifla avec violence.

— Imbécile ! Lâche ! Tu n'abandonneras pas si vite, crois-moi. Vis-la jusqu'au bout, ta pauvre vie. Aussi minable soit-elle, elle mérite ton respect !

Sans s'occuper des protestations muettes d'Anthony, déjà trop faible pour réagir, Tom déchira son foulard afin de lui panser le poignet.

— Maintenant, tu vas te lever et me suivre à la maison.

— Je n'en ai aucune, Tom, répliqua l'Asap d'une voix à peine audible, mais ironique.

Tom saisit Anthony par l'épaule pour le mettre debout. Celui-ci se releva avec peine et fit un pas vers l'Arbre Bleu.

Les deux exilés étaient assis à la petite table sous l'Arbre Bleu, face à face et silencieux. Tom gardait le regard fixé sur Anthony, qui semblait captivé par sa tasse de thé. C'était le lendemain suivant la tentative désespérée du jeune homme. En rentrant, l'Asap s'était presque effondré sur le lit. Tom avait soigné sa plaie de son mieux, espérant que la guérison serait rapide. Anthony avait été chanceux, il n'avait pas endommagé les nerfs et pourrait donc garder l'usage de sa main.

— Je connais les raisons qui t'ont poussé à commettre ce geste pathétique, mais franchement, j'aurais cru qu'un homme tel que toi aurait plus de courage.

Anthony leva les yeux, mais ne répondit pas.

— En Asapmy, tu étais prêt à trahir un peuple entier pour tes intérêts personnels et aujourd'hui, alors que l'avenir t'attend et que tu es libre de toute responsabilité, tu souhaites mettre un terme à ta vie? N'as-tu pas pensé qu'il serait possible de tout recommencer, Anthony?

— Qu'espères-tu, Tom? demanda Anthony, dédaigneux. Sans Moraggen, la vie ne vaut plus la peine. J'ai essayé, j'ai attendu, mais j'en suis incapable désormais.

— Pourtant, avant...

— Avant j'étais un gamin trop ambitieux, trop prétentieux. Il n'y a aucune leçon à en tirer. J'ai échoué.

— Il y a d'autres pays à conquérir, d'autres princesses à épouser.

Anthony garda le silence un moment, saisissant sa tasse pour prendre une gorgée de thé.

— Tu sais bien ce que je pense des autres princesses, Tom, finit-il par répondre.

— J'ai réussi à me refaire une vie. Pourquoi pas toi?

— Je n'en ai pas envie. Je n'en ai pas la force.

— Allons donc, cesse d'attendre ton destin! Va! Tu as tellement d'opportunités. D'ailleurs, n'est-ce pas la signification de ton propre blason? Le phénix? À ton tour, tu renaîtras de tes cendres!

Tom se servit une deuxième tasse de thé, soudain enthousiaste. Il alla chercher quelques livres à sa bibliothèque, puis ouvrit l'un d'eux montrant une carte de Magz.

— Regarde, dit-il, le monde est vaste. As-tu déjà visité toutes ces contrées? Le Royaume, Novgorar, Muggeo, tous ces pays sauraient t'accueillir à bras ouverts. Tu as plusieurs connaissances, tu pourrais te faire stratège, mercenaire ou encore marchand, interprète, guérisseur même. Tant de possibilités!

Anthony regardait la carte, fixement. Tom avait raison. Il n'avait pas le droit d'abandonner. Il avait été faible, mais maintenant qu'il avait de nouveau les esprits en place, il admettait qu'il devait continuer. Si Moraggen l'avait oublié, si Adalbald l'avait oublié, il n'avait plus rien à perdre. Il n'avait plus de temps, ni d'espoir, à perdre.

— J'ai déjà passé un moment au Royaume et ce pays m'a beaucoup déçu. La société des Hommes est arrié-rée. Je n'y retournerai pas, décida-t-il.

Réalisant ce que cela signifiait, Tom poussa un cri de joie et bondit sur ses pieds avant de pincer amicale-ment la joue creuse d'Anthony.

— Enfin! s'écria le Zellien. Je retrouve mon brave ami. Nous allons te créer une identité, te donner toutes les clés pour commencer une vie nouvelle. Donnons-nous environ deux semaines. D'ici là, grâce à ton Aether, tu seras certainement guéri de cette vilaine coupure et notre plan sera au point.

— Je serai prêt.

— Il fait un soleil radieux dehors, allons marcher.

Les deux hommes quittèrent donc leur demeure et poursuivirent la discussion tout en avançant lentement dans les Plaines Vertes. Tom sortit de la poche de sa veste une pipe de bois clair, bourrée de son mélange spécial de tabac et de menthe fraîche. Il l'alluma et en tira une longue bouffée.

L'été était arrivé à peu près en même temps que le jeune fugitif, apportant une agréable chaleur. Anthony passait beaucoup de temps à l'extérieur, à lire dans l'herbe au pied de l'Arbre Bleu, ainsi, pour la première fois depuis des années il avait cessé d'avoir un teint blafard. Tom le lui fit remarquer, prétendant qu'il s'agissait du premier des nombreux changements qui auraient lieu.

Après une heure de marche, ils étaient parvenus à prendre quelques importantes décisions. Le jeune homme partirait pour Novgorar, pays qu'il avait toujours été curieux de découvrir, et utiliserait ses talents pour se trouver un travail honnête. De plus, Anthony, qui refusait de continuer de porter le nom d'un traître, d'un vagabond, se ferait désormais connaître comme Nolan Slattery. Ces deux noms étaient ceux de héros de légendes humaines que Tom affectionnait particulièrement. Nolan était un orphelin misérable dont le courage lui avait permis de vaincre un dragon, animal redoutable apparaissant uniquement dans les histoires les plus rocambolesques de Magz. Slattery, quant à lui, avait, par chance, trouvé le secret de l'éternelle jeunesse, soit une eau magique qui lui apporta également la gloire, l'argent et l'amour. Anthony se trouvait peu de ressemblances avec ces héros, mais devait avouer que le nom lui plaisait.

De jour en jour, les plans se détaillèrent. Anthony avait guéri beaucoup plus rapidement que ce qu'il aurait pu espérer. Il rassembla ses affaires, empaqueta les livres dont Tom lui avait fait cadeau et prépara des provisions pour la semaine que durerait son voyage jusqu'à Novgorar.

Ainsi, le matin de la deuxième semaine suivant son suicide, Anthony de Nathandel fit ses adieux à l'Arbre Bleu.

L'aube qui se levait sur les Plaines Vertes était celle de Nolan Slattery.

DEUXIÈME PARTIE

12
La NYMPHE

La foule était rassemblée au port de Kamazuk.

Le jour du départ était finalement arrivé et le bateau accueillait ses derniers passagers. Le navire en question n'était pas parmi les plus gros de la flotte asape, mais était suffisamment imposant pour porter à son bord la délégation entière en plus de l'équipage. Il s'agissait d'une sorte de caravelle typiquement asape, avec ses trois mats portant des voiles carrées et sa coque entièrement blanche. La figure de proue représentait une magnifique jeune femme aux longs cheveux d'un bleu océan, ainsi le navire se nommait *La Nymphe*.

Au bord du bastingage, Moraggen saluait les citadins venus assister à l'embarquement. Elle était encadrée de Kheldrik, qui se faisait distant, et d'un autre jeune Chevalier d'Aanor, Eneko Daqnige. La princesse avait quelques rares fois croisé ce dernier et savait qu'il dirigeait, jusqu'à récemment, une unité qui combattait les

Gnomes en campagne. Il avait à peu près la même stature et le même air sérieux que Kheldrik, des cheveux aubergine coupés en brosse à la mode des militaires et des yeux d'un vert sombre.

Elsabeth venait de s'engager sur la passerelle, mais se retournait déjà pour saluer ses parents et sa jeune sœur, Cathialine. La petite semblait retenir ses pleurs, mais ne pouvait se résoudre à laisser aller son émotion. Un de ses compagnons, Samael, le plus jeune des frères de Vikh, la regardait attentivement, visiblement en attente du moment où elle laisserait tomber une larme pour s'en moquer. Le forgeron lui ébouriffa gentiment les cheveux, embrassa sa mère, venue avec le reste de sa famille pour lui dire au revoir, et rejoignit ses amis sur le pont.

Le dernier à monter à bord était le Duc Arbustus, qui fit son entrée au port dans une diligence dorée tirée par quatre chevaux. Un valet tira un marchepied et aida le duc à descendre de la voiture. Deux serviteurs portèrent ses affaires à bord du navire, alors que le seigneur saluait la foule.

Moraggen remarqua avec amusement que les gens étaient bien moins chaleureux à l'égard d'Arbustus qu'à son propre endroit. Elle constatait pour la première fois combien l'opinion du peuple lui était favorable et espérait conserver cette popularité jusqu'au moment où elle serait appelée à gouverner, aux côtés de ce prince elfe. Il lui était difficile de croire que, dans quelques mois à peine, elle serait reine de toute l'Asapmy.

— Votre Grâce?

Moraggen fit volte-face. Le capitaine de *La Nymphe*, Toggart Langley, se tenait derrière elle. Il avait des cheveux vert forêt, noués en catogan à la manière d'Ihmon de Krapul, des yeux noirs et semblait être dans la quarantaine avancée. La princesse l'avait rencontré brièvement lors des réunions qui avaient précédé le voyage.

— Nous sommes prêts à quitter Kamazuk, Votre Altesse. Ai-je l'autorisation de lever l'ancre? demanda-t-il.

— Bien sûr, répondit Moraggen, s'étonnant une fois de plus du caractère officiel que prenait ce voyage.

Le capitaine lança alors une série d'ordre aux membres de l'équipage, qui s'activèrent soudainement. On retira la passerelle, leva l'ancre, déploya les voiles. Toggart prit place à la barre et mit le cap sur Novgorar.

✆ ✆ ✆

Moraggen et Elsabeth, s'affairaient à installer leurs
effets dans la cabine qu'elles partageaient.

La princesse avait fini par pardonner à Elsabeth ce
qu'elle lui avait révélé à la Ruche. La divinus était bien
vite allée demander le pardon de sa meilleure amie et
Moraggen avait constaté qu'elle ne lui en voulait pas
réellement. On avait déjà trouvé des preuves de la trahison d'Anthony avant que la jeune prêtresse ne l'annonce. Moraggen avait déplacé sa colère vers la vraie
coupable. Après tout, ce n'était pas Elsabeth qui avait
assassiné Obérius et Anthony, c'était la Reine Tiarana.

Moraggen observa l'endroit où elle séjournerait pendant les prochaines semaines. La cabine était étroite,
bien entendu, mais confortable. Une petite table se
trouvait près de la porte. Un lit à deux étages était amé-
nagé contre un mur, au pied duquel était posée une
malle. De l'autre côté, on avait installé un large banc au
siège rembourré, faisant office de couchette pour la
nouvelle domestique et tuteure de la princesse, qui
logerait également avec les jeunes femmes.

Novell Tanhaed était une Elfe née à Eldel qui avait
toujours servi la mère de Moraggen. Lors du mariage

de Tiarana et Obérius, Novell avait suivi sa maîtresse en Asapmy et c'était encore sur ses ordres qu'elle avait quitté Kamazuk ce jour-là. Elle ressemblait à la reine de plusieurs façons. Elle avait de longs cheveux bruns, qu'elle continuait de coiffer à la mode de Novgorar, le teint pâle typique de sa race et des yeux froids, d'un bleu cyan cependant, contrairement à ceux, acier, de Tiarana. De plus, elle avait le même caractère dédaigneux, lequel, se demandait Moraggen, était peut-être caractéristique des Elfes.

La princesse nourrissait déjà un sentiment haineux envers sa suivante. L'Elfe, elle le savait, rapporterait tous ses faits et gestes à Tiarana. Moraggen était convaincue que Novell avait participé au complot qu'avait monté la reine contre Anthony, et pour cette dernière raison, s'en méfiait particulièrement.

— Que penses-tu de notre nouvelle «amie»? demanda-t-elle à Elsabeth, curieuse de connaître son avis.

— D'après moi, le voyage sera très long, mais je la préfère à ta mère. Elle, on peut lui ordonner de se taire, simplement.

Des bruits de pas retentirent dans le couloir et, devinant de qui il s'agissait, les jeunes femmes firent silence. Novell Tanhaed entra dans la pièce et exécuta une brève révérence en guise de salutation. Moraggen et Elsabeth lui rendirent son salut, moqueuses.

— Son Altesse se porte-t-elle bien? s'enquit la servante. J'espère que les voyages en mer ne l'incommodent pas?

— Je suis en pleine forme, merci. Le voyage ne devrait pas m'être trop pénible.

— C'est sans doute grâce à votre sang elfe. Nous avons le pied marin.

— Sans doute, oui, répondit la princesse.

— Il est encore tôt pour dire comment se déroulera la traversée, nous venons tout juste de prendre le large, ajouta Elsabeth. Je monte sur le pont faire connaissance avec les membres de l'équipage, m'accompagnez-vous, Votre Grandeur?

— Avec plaisir, divinus.

Sans plus attendre, elles quittèrent la cabine.

La mer était calme. Le ciel: bleu, dépourvu de nuages. Malgré tout, le bateau allait bon train. Le Capitaine Toggart et quelques-uns de ses hommes, grâce à leurs pouvoirs sur l'air, s'assuraient que le vent soufflait suffisamment pour gonfler leurs voiles.

Les membres de la délégation, hormis Novell et le Duc Arbustus, étaient rassemblés sur le pont principal. Sur la dunette, Ihmon de Krapul et Velfrid Kavalcan discutaient avec le capitaine qui tenait fermement la barre pendant que Kheldrik, adossé au bastingage, servait d'interlocuteur au guérisseur Shipeh Saapital. Maigre et laid, l'homme ne devait avoir qu'une trentaine d'années, mais, déjà, avait les cheveux entièrement blancs. Son teint était blafard et sur son nez fin était posée une paire d'épaisses lunettes cerclées d'argent. Il s'exprimait d'une voix perchée, intarissable. Le jeune chevalier, cependant, ne semblait pas particulièrement absorbé par sa conversation et jetait de temps à autre un regard envieux aux autres soldats de la délégation qui jouaient aux dés, assis au pied du grand mât. Avec soulagement, Kheldrik vit ses amies approcher.

— Votre Majesté, Mademoiselle Elsabeth, je vous souhaite le bonjour, se précipita le guérisseur, saluant bien bas. J'ose espérer que vous appréciez la traversée. Quant à moi, comme j'expliquais à Sire Kheldrik, elle ne m'est pas des plus agréables. Je me sens nauséeux et pour m'assurer de garder la forme, je dois user constamment de mes pouvoirs sur moi-même. Cela m'épuise et...

— Pourquoi ne pas vous allonger un instant dans votre cabine, alors? proposa Elsabeth.

— Excellente idée! s'écria Shipeh, aux anges. Mesdemoiselles, Sire, je me retire, mais j'espère avoir l'occasion de converser de nouveau avec vous ce soir.

Shipeh effectua une amusante courbette, les jeunes gens lui rendirent sa révérence, puis il disparut dans l'escalier qui menait au pont inférieur.

— Enfin! dit Kheldrik, soulagé. Voilà plus de quinze minutes qu'il me parlait de ses haut-le-cœur et de sa crainte que le navire ne s'échoue.

— Décidément, tous les membres de la délégation que j'ai croisés se sont montrés assommants, déclara la divinus.

— Pour ce qui est de l'ennui mortel, je croyais avoir touché le fond avec Novell, mais je dois avouer que ce Shipeh semble pire encore, avoua Moraggen.

— Allons voir Vikh. Je crois qu'il a plus de chances que nous dans ses rencontres, offrit Kheldrik, souriant.

Vikh était entouré d'Eneko et des trois mercenaires sélectionnés par Ihmon. Ces derniers se distinguaient nettement des Chevaliers d'Aanor par leurs airs détendus, leur apparence relâchée. Deux d'entre eux étaient des jumeaux identiques aux épaules larges et à la tête apparemment vide. Malgré leur allure de balourds, ils avaient le regard assuré et des mines joviales. Leurs cheveux vert lime étaient coupés en brosse et ils portaient les habits commodes des soldats de Kâ'Sham.

Le troisième mercenaire était un humain, visiblement originaire de Muggeo, un grand royaume à l'extrême est de Magz, puisqu'il avait le teint basané et les traits durs. Il était de petite taille, mais avait des muscles puissants et maîtrisait le maniement du kwarzy, sorte de sabre à la lame large et dentelée, une arme typique de son pays. Son crâne chauve était tatoué d'un lion rugissant de couleur or.

— C'est un symbole, expliquait le Muggeois. À cause de mon nom, Leonel, le lion, tu vois? Ça porte chance pendant les combats. D'où je viens, le lion représente la force et le courage. C'est bon pour un guerrier.

— Leonel? Je croyais que tu t'appelais Lasid, dit Vikh, perplexe.

— À Muggeo, on nous donne plusieurs noms au cours de notre vie. Lasid, c'est le nom que ma mère a choisi pour moi. Leonel, c'est celui que j'ai mérité en protégeant la caravane d'un marchand.

— C'est donc Lasid Leonel?

— Non, c'est Leonel Lasid Vei Pinufim Phoami.

Vikh éclata de rire.

— Je crois que je préfère les noms asaps. Vikh Marten Dummkopf, c'est assez long à mon goût.

— Et mon nom te semble-t-il suffisament court pour que je sois présentée? demanda la divinus, narquoise.

Les soldats n'avaient jusqu'à présent pas remarqué que Kheldrik et les jeunes femmes les écoutaient, ils se levèrent donc avec empressement pour les saluer.

— Messieurs, je vous présente son Altesse royale Moraggen de Kildhar ainsi que la divinus Elsabeth Tumlyn, commença très protocolairement le forgeron. Puis, revenant à son naturel, il poursuivit:

— Les filles, voici l'humain Leonel Lasid Blablabla de Muggeo, puis, Jörg et Joerg Zaut, bien que je ne sache pas encore les différencier. Je crois que vous connaissez déjà Eneko?

Alors qu'ils achevaient leurs politesses mutuelles, ils aperçurent un jeune matelot qui se déplaçait vers le gaillard d'avant, dans leur direction. Avec difficulté, il portait d'une main un énorme seau rempli d'une eau savonneuse et de l'autre, une serpillière. Les contournant, il trébucha et éclaboussa Moraggen, tandis que lui-même s'effondrait de tout son long à ses pieds. Laissant voir de grands yeux bruns expressifs, honteux, il releva bien vite la tête et se répandit en excuses. Éclatant de rire, Joerg le saisit par le foulard écarlate qu'il portait au cou pour l'aider à se relever.

Le garçon, chétif, ne devait pas avoir plus de quinze ans: ses traits doux, androgynes, étaient encore ceux d'un enfant. Ses cheveux blonds, qui, sous le soleil, étaient du même jaune que le plumage d'un canari, tombaient librement sur ses épaules.

— Je suis tellement désolé, Votre Altesse! Je... Je suis tellement bête. En plus, renverser un seau porte malheur. Je... Comment pourrais-je faire pardonner ma maladresse? bégayait-il.

— Ne vous en faites pas, soupira Moraggen, épongeant son visage avec son mouchoir. Vous êtes excusé. J'imagine qu'il est raisonnable de s'attendre à être éclaboussé lorsque l'on se trouve en pleine mer. Certainement, je devrai affronter ce genre d'accident une nouvelle fois avant la fin du voyage.

— Comment t'appelles-tu, gamin? demanda Lasid, manifestement amusé.

— Robarbin Kinnär, Monsieur, pour vous servir, annonça le garçon, faisant une gauche révérence. Mais les membres de l'équipage me surnomment Robbie.

— C'était un plaisir de faire votre connaissance, Robbie, répondit Moraggen. Mais je crois que je vais me retirer et aller mettre des vêtements secs.

Sous les rires de ses amis et des gardes, qu'elle appréciait définitivement plus que les autres dignitaires l'accompagnant, la princesse retourna à sa cabine.

Elle venait tout juste de passer la porte lorsqu'elle s'arrêta. Novell était agenouillée devant la malle où Moraggen rangeait ses effets personnels, avec l'air d'y chercher quelque chose.

— Novell, que faites-vous?

L'Elfe se releva aussitôt, une robe entre les mains. Aucune expression ne s'affichait sur son visage pâle.

— J'aère vos vêtements, Votre Grâce. Vos robes vont s'abîmer si vous les laissez pliées dans ce coffre humide.

— Bien. Je venais justement me changer. Sortez.

Novell obéit en silence, mais dès qu'elle fut sortie, Moraggen se précipita à la malle, suspicieuse. Elle n'était pas bête, sa servante avait fouiné dans ses affaires. Heureusement, elle ne gardait pas de secret qui aurait pu satisfaire la curiosité de Novell.

Moraggen s'assit sur la couchette d'Elsabeth, songeuse.

Comment les choses se dérouleraient-elles, une fois à Novgorar, si, déjà, les Elfes se mêlaient de ses affaires?

13

ALEMEÏ TRENASSEN

Depuis un peu plus d'une semaine, Anthony parcourait les routes de Novgorar. Les campagnes étaient peu nombreuses, peu populeuses, c'est pourquoi le jeune Asap s'était dirigé sans se presser vers Eldel, la capitale.

Tom le Gardien l'avait accompagné jusqu'à la frontière du royaume des Elfes, où il avait l'habitude de négocier avec les habitants du village en bordure. Il parvenaient à garnir le garde-manger de son refuge en échange de potions préparées à partir d'espèces rares de plantes poussant dans les plaines et de nouvelles des différentes régions de Magz.

Au moment des adieux, après l'avoir maintes fois remercié de ses bons conseils, Anthony avait promis à l'hospitalier Zellien de le visiter dès que cela lui serait possible. Il lui devait la vie, il s'en souviendrait.

Le jeune homme progressait lentement et, de jour en jour, s'étonnait en découvrant la culture des endroits où il s'arrêtait. Il croyait bien connaître les Elfes, mais n'avait jamais voyagé jusque dans leur pays. À présent, il craignait que ses lectures ne lui soient d'une bien piètre utilité pour comprendre leurs us et coutumes. Les Elfes se faisaient distants et peu loquaces avec lui, un étranger. Même dans les salles communes des auberges, un silence perturbant semblait s'installer à son passage. Ce n'était pas le cas aujourd'hui.

Il venait de passer les portes de la capitale, située au sud-est à l'intérieur des terres, et avait vite repéré cette auberge où il espérait s'installer le temps de trouver un travail honnête. Bien que pourvu de peu de moyens, l'exilé avait pris soin de s'établir dans un quartier cossu. Il avait toujours vécu dans l'abondance et savait qu'il avait les capacités d'accéder rapidement à un poste important s'il fréquentait les bonnes gens et se montrait digne de confiance. Il se refaisait une vie, mais ne voyait pas pourquoi il devrait se condamner à la misère.

Construit de bois sombre comme la plupart des habitations elfes, l'établissement était richement meublé. En entrant, on arrivait directement dans la salle commune, où étaient installés de façon ordonnée des tables et de nombreux fauteuils identiques, aux couleurs élégantes mais froides. À la gauche, derrière le comptoir, se tenait l'aubergiste, qui ne ressemblait en rien aux sympathiques tenanciers de ce genre de commerce en Asapmy. Il avait l'air grave et le front pâle. Au fond de la salle, l'escalier permettant de se rendre aux deux étages était surplombé d'une galerie faisant le pourtour de la salle commune. Ainsi, depuis le sol, il était possible d'avoir pleine vue sur les portes de toutes les chambres, précaution bien pratique pour qui veut éviter les ennuis. Enfin, au-dessus de l'ensemble, on pouvait apercevoir les poutres du toit, décorées de gravures complexes.

Sachant que le climat était rigoureux à cet endroit de Magz, Anthony se fit tout de suite la réflexion qu'une telle construction ne devait pas être très pratique, puisque difficile à chauffer en hiver et à garder fraîche en été. Les Elfes, contrairement aux Asaps, avaient manifestement tendance à prioriser l'esthétisme et à songer ensuite à l'utile.

Pour l'heure, le jeune homme était attablé dans la salle commune. Ce genre de comportement n'était pas dans les habitudes d'Anthony, qui préférait la solitude, mais Nolan Slattery ne pouvait se permettre d'agir de la sorte.

Connaissant les rivalités encore marquantes entre Asaps et Elfes, Nolan avait d'abord voulu se présenter comme un humain du Royaume. Si, par leur couleur, ses yeux et ses cheveux étaient semblables à ceux des Hommes, il avait cependant de la difficulté à masquer son accent asap. Au surplus, il redoutait que quelqu'un finisse par se rendre compte qu'il avait les oreilles pointues de ceux de sa race. Il avoua donc ses origines. Aux rares qui le questionnaient, il racontait venir d'une région au centre de l'Asapmy qu'on appelait l'Intérieur, ou parfois le Midi, et avoir quitté ses terres parce qu'il était en désaccord avec l'organisation politique. Tout de même, il y avait un fond de vérité...

Ce soir-là, pour la première fois, Nolan avait réussi à se mêler à une conversation à la faveur d'une grande rumeur qui courait dans l'établissement : un important prince, semblait-il, était à la recherche de compagnons afin de mener à terme une mission au nord. Il descendrait à Eldel en personne le lendemain afin de recruter les hommes les plus vaillants. Interpellé par cette histoire, l'Asap avait fini par demander des informations sur ce prince et le genre d'hommes qu'il recherchait. Il pourrait s'agir de l'occasion qu'il attendait. À sa surprise, l'Elfe à sa gauche, un grand maigre aux cheveux blonds lui répondit en détail.

— Le Prince Alemeï Trenassen est le fils du seigneur Assen, un important vassal du Roi Lodvighen. Il a par contre une naissance douteuse. Dans tous les cas, c'est un bâtard. Son nom en est la preuve.

Anthony savait déjà que le nom de famille, chez les Elfes, était déterminé par le prénom du père. Si ce prince était appelé Trenassen, c'est qu'il était de notoriété publique que son père l'avait eu hors des liens du mariage, ce qui, à Novgorar, était très mal vu. Dans le cas d'une «mauvaise naissance», comme on la nommait en langue populaire, *Tren* était le préfixe s'ajoutant au nom du père. S'il s'agissait d'une femme, on avait plutôt recours à celui de *Tran*. Si l'enfant était né d'une union légale, les termes *Ten* ou *Tan* étaient employés, dépendamment du sexe du bébé.

— N'a-t-il pas déjà des hommes à son service? Quelle est cette mission? demanda Nolan, curieux d'en savoir plus.

— Il doit bientôt épouser une princesse étrangère et désire se rendre au nord, afin de trouver de somptueux présents pour sa fiancée. La ville de Bernaal est éloignée, mais réputée pour ses orfèvres et ses armuriers, expliqua un deuxième Elfe. Et puis non, le prince n'a pas grand-monde à son service. Ici, nous n'avons pas de respect pour les bâtards. Malgré tout, certains ont peur de lui. Pas moi.

— Cela ferait mon affaire si je pouvais joindre sa compagnie. Croyez-vous que j'aie des chances ou le prince refusera-t-il la candidature d'un Asap?

— Si tu es valeureux, tu auras l'emploi, étranger ou non.

Le lendemain, Nolan se leva de bonne heure. Suivant la mode elfe, il revêtit une tunique de soie grise au col haut et un pantalon noir ajusté sur la jambe, mais choisit de conserver ses longues bottes de cavalier, les préférant aux mocassins de cuir souple portés par les habitants de Novgorar. Avant de partir, quand il jeta un rapide coup d'œil au miroir, il se trouva méconnaissable. Il avait laissé pousser ses cheveux, qui lui allaient maintenant juste au-dessus des épaules et, comme l'avait fait remarquer son ami Tom quelques semaines auparavant, son teint avait pris des couleurs grâce aux longues heures passées sous le soleil des plaines. Avec son récent hâle, sa cicatrice était par ailleurs presque imperceptible.

Après un rapide petit déjeuner, Nolan quitta l'auberge en direction du lieu du rendez-vous: une petite clairière à proximité de la porte sud. Pour s'y rendre, il devait traverser la place du marché. Il constata que, malgré l'heure matinale, les rues d'Eldel étaient bien animées. Des marchands s'affairaient autour de leurs étalages, les boutiques ouvraient leurs portes. L'exilé découvrait la ville avec surprise. Novgorar était une vaste contrée, mais les Elfes y étaient peu nombreux. La capitale était certainement deux ou trois fois plus petite que Kamazuk. Les rues étaient étroites: les imposantes diligences asapes n'auraient jamais pu y passer, mais cela ne posait pas de problème aux Elfes, qui préféraient aller à pied ou à dos de cheval. En revanche, contrairement à la ville natale d'Anthony, construite sur une falaise, le terrain plat et régulier facilitait les déplacements.

Une vingtaine d'hommes étaient déjà rassemblés près d'un grand arbre, où le prince avait fixé la rencontre. L'Elfe qui l'avait informé la veille était parmi eux. Aussi, Anthony alla le rejoindre.

— Bonjour, Donovan. Je ne savais pas que vous désiriez vous joindre à ce groupe.

Il avait oublié, encore, que les Elfes, même s'ils s'adressaient à un inconnu ou à une personne de haut rang, ne se vouvoyaient jamais. Anthony avait de la difficulté à s'y faire, puisque, en Asapmy, cette habitude était marque d'impolitesse. Chaque fois qu'il utilisait le vous en présence d'un Elfe, on lui servait un commentaire effronté sur son jugement: croyait-il donc s'adresser à plusieurs personnes?

— J'ai pris ma décision ce matin, répondit Donovan. Cette affaire pourrait bien me convenir.

— Sais-tu comment le prince compte départager les candidats qui sont dignes de l'accompagner des autres? demanda Anthony, faisant plus attention cette fois.

— Comment? Personne ne t'en a informé? Nous nous mesurerons les uns aux autres à l'épée et les vainqueurs feront partie de son équipe. Cela ne devrait pas te poser problème, tu dois être familier avec ce système. Je crois que vous organisez des tournois, parfois, en Asapmy?

— C'est vrai.

En réalité, Anthony n'y avait jamais participé. Il s'était battu à maintes reprises avec divers opposants, Gnomes,

Asaps ou humains, mais ne s'était jamais mesuré à un Elfe. Il espérait avoir le temps d'observer au moins un combat, afin d'analyser leur technique de duel.

Le son clair d'un cor résonna, annonçant l'arrivée du prince. Bientôt, précédé de trois cavaliers et porté par quatre Elfes, avança un superbe trône de velours noir piqué d'argent. Sur un ordre de leur maître, les porteurs déposèrent le siège et le Prince Alemeï Trenassen en descendit.

Il était aussi grand et fier qu'Anthony. Il avait le front haut, les sourcils épais, le nez busqué et le regard gris, ardent. Comme plusieurs de sa race, il attachait ses cheveux d'un brun sombre sur la nuque, tout en laissant de longues mèches droites le long des tempes. En revanche, s'il était rare de pouvoir donner un âge à un Elfe vu leur éternelle jeunesse, Anthony devina sans difficulté qu'Alemeï n'avait pas plus de vingt ans.

Ne s'embarrassant pas de préambule, l'Elfe prit la parole d'une voix forte:

— Une dizaine d'hommes suffira amplement, puisque je dois voyager rapidement. Trois sont déjà à mon service, ainsi, seulement sept d'entre vous seront retenus.

Son regard pénétrant balaya la petite assemblée et sembla s'arrêter un instant sur le candidat chaussé de longues bottes.

— Divisez-vous en deux groupes. Chacun choisira un adversaire et n'aura droit qu'à un seul combat, sauf s'il faut départager deux vainqueurs. Les perdants de chaque duel seront éliminés, expliqua-t-il. Vous deux, commencez!

Avec soulagement, Anthony vit les deux Elfes désignés s'avancer. Les opposants se firent face, se saluèrent, puis dégainèrent les longues épées qu'ils portaient à la ceinture. Sur un ordre d'Alemeï, le duel commença.

Les yeux rivés sur la scène, l'Asap étudiait le combat, cherchant à comprendre les moindres déplacements, à prévoir les moindres coups. Après un instant, il conclut que les techniques elfes et asapes différaient uniquement par la sorte d'arme utilisée. Les épées des gens de Novgorar avaient de longues lames fines et étincelantes comme de l'argent, légèrement recourbées (rien de comparable avec un cimeterre gnome), mais aucune garde. Chacune était ornée de symboles brillants, des devises ou des runes de protection; par contre, aucune pierre n'y était incrustée. À la façon dont les combattants les maniaient, Anthony les devina beaucoup plus légères que celles des Asaps, et il se demanda, si une telle arme conviendrait mieux à son propre style, lui qui misait sur la rapidité plutôt que la force.

L'un des combattants parvint finalement à désarmer son ennemi et, d'une poussée, l'envoya au sol. Il appuya la pointe de sa lame sur sa gorge et jeta un regard à son prince. Celui-ci sembla hésiter un instant, puis fit signe au vainqueur de libérer son rival. Le gagnant rengaina. Aucune expression ne s'affichait sur son visage, mais une ombre de contentement passa dans ses yeux, alors qu'il s'inclinait pour rendre hommage à Alemeï. Puis il s'effondra, une dague entre les deux omoplates. Le vaincu s'était fait vainqueur. Il alla récupérer ses armes, avant de saluer à son tour. Le prince lui souhaita la bienvenue parmi son équipe.

C'est ainsi que Nolan découvrit un nouvel aspect de la culture de Novgorar. Lui qui avait espéré mener une existence tranquille et respectable voyait maintenant que les habitudes de vie prises par l'Allié lui seraient encore utiles. Pour obtenir ce qu'on voulait à Novgorar, il fallait être prêt à tout? Qu'à cela ne tienne, Nolan Slattery saurait se faire aussi scélérat, aussi déloyal, aussi traître que l'avait été Anthony de Nathandel. Et Nolan était certain, cette fois, de ne plus jamais retomber dans le piège de l'amour. Son cœur, il l'avait laissé en Asapmy.

Cinq des hommes d'Alemeï étaient maintenant choisis. C'était au tour de l'Asap de croiser le fer. Il s'avança au centre de la clairière, conscient d'être la cible des regards, lui-même toisant son adversaire, un Elfe qui avait à peu près la même stature que lui. Suivant l'usage, ils s'inclinèrent.

Nolan venait à peine de se redresser que, déjà, il parait un violent coup. La lame elfe était effectivement plus souple et se maniait plus rapidement, mais son opposant n'était pas aussi expérimenté que lui. L'Elfe répétait les mêmes passes et attaquait comme l'éclair sans chercher à lui faire baisser sa garde, sans réfléchir. Il en viendrait rapidement à bout. Anthony le tenait à distance, jouant sur la plus grande portée que lui offrait son arme, et attendait le bon moment. Il multipliait les feintes, changeait le rythme de ses assauts et forçait son ennemi à contrer des coups plus larges et plus puissants, des gestes auxquels il n'était pas accoutumé s'il n'avait jamais quitté Novgorar, ce qui semblait le cas. C'était tout de même un défi pour Anthony, qui avait l'habitude de charger directement et vivement, ne s'encombrant pas de moulinets inutiles. Soudain, comme il l'avait prévu, l'occasion de terminer ce combat se présenta. Son rival s'était rapproché d'un mouvement rapide, espérant décocher à Anthony un toucher de taille, mais celui-ci pivota et lui abattit son épée sur le côté de la tête, du plat de la lame. Sonné, l'Elfe resta immobile un trop long instant, constatant finalement qu'il avait la pointe de l'épée de son ennemi sous le menton.

Alemeï congédia le perdant et demanda à l'Asap de s'approcher.

— Ton nom?

— Nolan Slattery.

— Tu es humain?

— Non, Asap.

— Saurais-tu combattre avec une de nos armes?

— Sans doute.

Sur un geste d'Alemeï, le vainqueur du précédent combat se défit de son arme pour la tendre à Anthony, qui l'échangea contre sa propre épée. Tenant l'épée asape entre ses mains, l'homme ne put retenir un léger rictus; même une lame elfe de mauvaise qualité était plus légère. Alemeï choisit bientôt un autre adversaire à Anthony, nul autre que Donovan, qui s'avança avec assurance : l'étranger était bon escrimeur, mais il était déjà fatigué. En outre, il n'aurait jamais le temps d'ajuster son style à sa nouvelle arme.

Les compétiteurs se saluèrent donc et engagèrent le combat.

Nolan ne se sentait pas épuisé. Au contraire, il était heureux d'avoir l'occasion d'essayer cette épée elfe, bien qu'il eût préféré le faire sans risquer de perdre un combat. L'arme était effectivement légère et la lame, plus fine que celles des épées asapes. Cette arme lui convenait parfaitement. Il avait toujours compté sur sa rapidité d'attaque, l'épée elfe lui donnait une liberté plus grande encore. Par quelques jeux et mouvements simples, il testa le niveau de son ennemi, puis, voyant qu'il avait affaire à un meilleur duelliste que le précédent, commença réellement à s'impliquer dans la bataille.

Un murmure d'agitation semblait parcourir l'assemblée alors que les deux guerriers échangeaient des coups toujours plus rapides et précis. Anthony était habitué à économiser ses déplacements, mais Donovan était un véritable athlète, de loin le meilleur de la compétition jusqu'à présent, qui le poussait à se mouvoir à une vitesse ahurissante. L'Elfe lui-même n'hésitait pas à effectuer roulades et sauts pour esquiver les coups et s'en servait afin de se donner de l'élan pour riposter. Les tintements des deux lames s'entrechoquant semblaient créer une musique qui rythmait les pas des combattants. Ceux-ci se déplaçaient avec fluidité, donnant presque l'impression qu'ils dansaient.

Leurs épées se percutèrent enfin pour de bon, avec une violence inouïe. D'un brusque tour du poignet, Anthony réussit à désarmer son adversaire, qui dégaina deux longues dagues.

Cette fois, Anthony aurait volontiers apprécié un temps d'adaptation, mais il n'en avait aucun. Il parait comme il le pouvait, tâchant de se débrouiller dans ce combat très rapproché. Il perdait en vitesse, essoufflé, et laissait l'autre gagner du terrain. L'Asap essayait, en vain, de le tenir à distance afin de passer sous sa garde, mais son rival était obstiné. Soudain, l'épée d'Anthony fut coincée entre les deux lames de l'Elfe. Avant que Donovan n'ait pu faire quoi que ce soit, il lui flanqua un violent coup de pied au torse, l'envoyant au sol. Alors qu'il allait frapper, l'Elfe lui fit un croc-en-jambe et il tomba à son tour. Mû par le même instinct, les deux guerriers sautèrent sur leurs pieds. Donovan se rua de nouveau contre son opposant, le forçant à reculer contre un arbre. Il allait enfoncer sa lame, visant la gorge, lorsqu'Anthony se déroba de justesse. Une des dagues resta plantée dans l'arbre. L'Asap leva son arme. L'Elfe esquissa le geste de lancer la sienne. Ne laissant à aucun la chance d'exécuter son projet, le Prince Alemeï mit fin au combat:

— Arrêtez, avant que l'un d'entre vous ne se blesse. Je vous veux tous les deux à mes côtés, annonça-t-il.

Anthony s'avança vers son opposant et nouveau compagnon, afin de lui serrer la main, mais Donovan lui tourna le dos, sans façon.

14

apparitions

Moraggen se réveilla en sursaut. Elle avait une fois de plus rêvé à Anthony.

Elle se retourna dans ses couvertures, cherchant à retrouver le sommeil, mais l'image du jeune homme lui restait en tête. Il lui semblait qu'une voix lui répétait sans cesse son nom, la forçant à se repasser en mémoire tous leurs souvenirs communs. Sachant qu'elle ne pourrait se rendormir, Moraggen chaussa ses bottes, jeta une cape sur ses épaules et quitta la cabine.

Une fois sur le pont, elle se dirigea vers le gaillard d'avant afin d'éviter la compagnie de Brayan, le timonier. Elle voulait être seule.

La nuit en mer était noire. À part le grondement des vagues et le chant léger de Brayan, le silence était absolu. Le bateau se dirigeait lentement vers Novgorar, mais bien que sachant où elle se trouvait (ils longeaient la côte de la Lande Maudite), Moraggen se sentit désorientée. Elle avait l'impression que le voyage, tout comme l'épidémie et sa quête de l'antidote, n'était qu'une illusion. Comment pouvait-elle vivre de telles aventures? Elle ressentait la même chose à propos de son amoureux: Anthony était subitement apparu dans sa vie et, sans lui laisser le temps de prendre conscience de leur histoire, de la force de leur amour, l'avait quittée. La princesse savait pourtant que ce qu'elle s'apprêtait à vivre, ce n'était pas l'un de ses songes. Elle allait bel et bien chez les Elfes, à la rencontre du fiancé que lui avait choisi sa mère, comme elle s'y attendait depuis des années, et cela parce que son père était bel et bien mort, en dépit de ses efforts pour ramener l'antidote, et parce qu'Anthony, son âme sœur, était également loin d'elle pour toujours.

— Il fait un temps superbe, pas vrai, Votre Altesse?

Moraggen se retourna. Le jeune Robbie était à son côté, contemplant l'océan. La princesse avait l'intention de le congédier, lorsqu'un sentiment d'angoisse la saisit soudain. La présence du garçon était rassurante, elle reprit donc la conversation.

— En effet. Je serai bien heureuse si les conditions restent aussi favorables jusqu'à ce que nous soyons au port.

— Ah ça, personne ne peut le prédire, ma Dame, répondit Robbie. Sauf peut-être mademoiselle Elsabeth, qui semble avoir un sacré talent pour ce genre de trucs.

Moraggen acquiesça avant de reporter son regard sur l'horizon. Une lumière semblait y briller, se rapprochant lentement. La jeune femme la désigna d'un signe de la tête à Robbie, qui parut soucieux. Bientôt, on en distingua nettement la source: un vaisseau en flammes qui voguait non loin.

Sa seule voile était déchirée; sa coque et sa proue étaient sérieusement abîmées. Sur le pont, des hommes au regard fou hurlaient; quelques-uns sautaient par-dessus bord, tentative désespérée d'échapper au brasier.

Criant également, Robbie courut vers la dunette. Il voulut faire sonner une cloche, qui servait d'alarme, mais l'autre marin de service, Hadden, l'en empêcha.

— T'es cinglé? Tu vas réveiller tout l'équipage!

— Il le faut! répliqua le garçon. Tu vois comme moi ce navire, nous devons lui venir en aide et nous préparer au combat, ceux qui les ont coulés sont certainement encore près.

— De quoi tu parles, Robbie?

Le matelot voulut montrer le vaisseau à son ami, mais lorsqu'il se retourna, le navire avait disparu. Moraggen, médusée, rejoignit les deux marins.

— Où ce bateau est-il allé? s'écria-t-elle. Comment est-ce possible?

Hadden poussa un soupir.

— Faut pas croire tout ce que Robbie peut vous raconter, Votre Majesté. Il est encore un gamin, avec une folle imagination.

— Vous ne comprenez pas, Monsieur Hadden, poursuivit Moraggen. Je l'ai moi-même vu de mes yeux.

Le marin leva un sourcil, perplexe. Il n'avait entendu que des éloges à propos de la princesse. Jamais il n'aurait pu se douter qu'elle était aussi simple d'esprit!

De nouveau, il soupira.

Tous les gens de la mer savaient qu'avoir une femme à bord portait malheur. D'ordinaire plein de bon sens, le Capitaine Toggart s'était quand même hasardé à en laisser embarquer trois. En réfléchissant à la façon dont venait de se comporter le petit Robbie, le marin conclut que cette superstition était fondée. Une femme sur un vaisseau ne pouvait causer que des problèmes, puisqu'elle rendait les hommes complètement fous…

Tandis que Robbie continuait d'observer les flots, attentif au moindre mouvement, Moraggen regagna sa cabine. Le sentiment d'inquiétude qui l'avait saisie peu avant l'apparition semblait l'avoir quittée, elle parviendrait sans doute à trouver le sommeil. Cependant, de nouvelles questions se bousculaient dans sa tête. Quel était ce mystérieux navire ?

Le lendemain, Moraggen s'était persuadée que toute cette histoire n'était qu'un rêve. Lorsqu'elle avait cru apercevoir un navire, elle était encore un peu endormie. Sûrement, ses yeux avaient été abusés par un quelconque effet et Robbie l'avait suivie dans sa folie pour ne pas l'embarrasser.

Pour l'heure, elle prenait son petit déjeuner en compagnie d'Elsabeth, Novell et Arbustus et venait tout juste de raconter son aventure nocturne.

— Tu as fait preuve d'une bien vilaine conduite, en agissant ainsi, estimée Moraggen Tantiarana, la réprimanda l'Elfe en apprenant l'initiative de cette dernière. Il est risqué pour une jeune femme de sortir seule la nuit.

— Pour cela, vous avez bien raison, Novell, renchérit Arbustus.

— Mais enfin, s'offusqua la princesse, que pourrait-il m'arriver sur un bateau ? Qui plus est, Robbie était à mes côtés.

— Ce fripon ! Il est encore un enfant, comment aurait-il pu te défendre de quoi que ce soit ? Moraggen Tantiarana, promets-moi au moins que si une telle lubie te reprend, tu te feras accompagner de quelqu'un plus apte à assurer ta sécurité.

Moraggen ne put retenir un soupir. Novell l'exaspérait. Non seulement elle la traitait comme une fillette, mais elle avait pris l'habitude de la tutoyer, comme il était coutume de le faire en Novgorar, et de l'appeler par son nom elfique. Selon elle, une telle attitude traduisait sa soumission. Elle encourageait d'ailleurs sa maîtresse à s'adresser par leur nom complet aux seigneurs elfes qu'elle rencontrerait : cela serait perçu comme une marque de respect.

Au départ, Moraggen s'était étonnée. Elle croyait savoir comment était attribué le patronyme chez les Elfes, mais ignorait que dans le cas d'un métis, le nom était déterminé par celui du parent d'origine elfe, quel que soit le sexe. C'est ainsi qu'elle s'était retrouvée affublée du nom de sa mère.

Moraggen se sentait brimée par ce nouveau nom qu'on lui imposait. Plus elle y songeait, plus elle avait l'impression de trahir l'Asapmy. Déjà, on ne la reconnaissait plus comme la Princesse Moraggen de Kildhar, mais comme Moraggen Tantiarana, la future Madame Prince Elfe. Elle regretta soudain la décision qu'elle avait prise en se fiançant à ce seigneur inconnu. Elle avait cherché à faire valoir ses propres intérêts, mais l'Asapmy aurait plutôt eu besoin de reconstruire ses assises. Depuis l'épidémie, Kheldrik était considéré comme un héros. Le peuple l'adorait. Il était beau, il était jeune et pourtant sage. Obérius l'avait choisi comme écuyer, il voulait faire de lui son successeur. Moraggen aurait dû honorer la volonté de son père. Maintenant, elle se rendait compte qu'elle s'était laissé manipuler par Tiarana et Dehgran. Elle avait négligé une partie d'elle-même qu'elle refusait depuis l'enfance: que cela lui plaise ou non, elle était à demi elfe. Qu'adviendrait-il de l'Asapmy, une fois dirigé par ses nouveaux souverains, si son roi était un Elfe, si sa reine était une demi-Elfe? Leurs enfants auraient bien peu de sang asap. Auraient-ils seulement des Aether? Et comment agirait cet Alemeï, une fois sur le trône?

Peut-être montrerait-il un cœur aussi noir que celui de la Reine Tiarana et ferait assassiner sa femme afin de prendre le pouvoir pour de bon. L'Asapmy tomberait-elle aux mains des Elfes, après toutes ces années de résistance et de guerre? Bien sûr, la paix avait été faite... Novgorar s'était engagé à respecter les limites du territoire asap, mais cet équilibre ne tenait qu'à un fil.

Moraggen se sentit sotte. Elle aurait voulu qu'Anthony puisse lui donner conseil, il aurait su quoi faire. Mais s'il avait été là pour lui donner son avis, elle ne serait pas dans une telle situation. Ce serait lui qu'elle épouserait. Malgré le passé trouble d'Anthony, Moraggen avait le sentiment qu'il aurait su se faire accepter par le peuple et qu'il aurait fait un roi avisé.

Remarquant sans doute que son amie avait glissé une fois de plus dans une profonde introspection, ignorant complètement les critiques que Novell lui servait encore, Elsabeth lui donna un léger coup de pied sous la table.

— Mora... Votre Altesse, que dirais-tu d'aller prendre un peu l'air? Tu... Vous me semblez bien pâle.

— Je suis simplement un peu fatiguée, je vous remercie, divinus, répondit Moraggen. Sortons.

Arbustus se leva de table pour saluer les jeunes femmes. Son gros ventre cogna contre le rebord de la table et sembla rebondir un léger instant. Pouffant, les deux amies montèrent sur le pont sans plus de cérémonie.

Elles y retrouvèrent le petit groupe de soldats qui discutaient bruyamment. Au beau milieu du cercle, les jumeaux ainsi que Vikh étaient déjà engagés dans une partie de dés, surveillés attentivement par les autres.

— Vous savez, ce n'est jamais bon signe de jouer de si bon matin, déclara Elsabeth, après avoir salué la compagnie.

— C'est bien vrai, assura Kheldrik. Vous connaissez la légende de cet Asap accro qui avait joué son Aether?

— Il a gagné, n'est-ce pas? voulut se rassurer Moraggen.

L'idée de cette triste gageure avait quelque chose d'insupportable. Un homme pouvait-il éprouver une si grande détresse qu'il risquerait ses pouvoirs, sa vie, même son âme?

— Non. Il a perdu.

— Quelle horreur! s'exclama la princesse. Quel Asap oserait réclamer l'Aether d'un autre?

— Ce n'était pas un Asap, mais un Homme, annonça Lasid, tirant une Amulette d'Aether de sa poche et l'exhibant à la ronde.

Tous semblèrent pétrifiés pendant un bref moment, puis la cohue éclata. Prêt à faire son compte au Muggeois, et imité de ses nouveaux amis, Vikh tira son arme et Elsabeth lui servit l'intégrale de son répertoire d'insultes. Quant à Moraggen, elle lui lança le plus méprisant des regards. À leur grand étonnement, au lieu de s'en formaliser, Lasid s'esclaffa, imité par Kheldrik.

— Cette scène, mes amis, est une démonstration de l'humour humain, se moqua le mercenaire. Je suis offusqué que vous me croyiez capable d'une telle abomination alors que je ne suis tout simplement qu'un grand farceur.

Honnêtement amusé, Lasid rendit son Aether à Kheldrik, le gratifiant au passage d'une forte tape dans le dos. Le reste de la bande échangea des regards stupéfaits.

— Dieux, c'était arrangé! expliqua le Chevalier d'Aanor. Détendez-vous un peu.

Ses amis éclatèrent de rire. Ils s'étaient bien fait avoir. Moraggen, également hilare, se précipita sur Kheldrik, le frappant de ses poings, telle une gamine.

— Comment tu as pu te moquer de moi comme ça?

On entendit soudain une petite toux rauque. Kheldrik et Moraggen se retournèrent. Derrière eux se tenaient Velfrid Kavalcan et Ihmon de Krapul, ceux-là visiblement réprobateurs. Les cinq soldats se placèrent aussitôt au garde-à-vous. Moraggen, gênée, courba la tête. Aurait-elle droit à un nouveau sermon sur ses responsabilités princières? À sa grande surprise, elle remarqua, lorsqu'il lui adressa la parole, que le ton de Velfrid n'était pas plein de colère comme elle l'avait redouté:

— Pourrions-nous nous entretenir avec vous un instant, Votre Majesté?

— Absolument.

Les vieux guerriers entraînèrent Moraggen sur la dunette où les y attendait le Capitaine Toggart. Il tenait la barre d'une main et une longue pipe de l'autre, dont s'échappait un épais nuage de fumée bleue. Apercevant la princesse, il inclina poliment la tête.

— Votre Altesse, Monsieur Robarbin m'a fait part que vous avez vu un navire elfe la nuit dernière. Est-ce bien vrai?

— C'est exact, commença Moraggen. Mais peut-être ai-je simplement rêvé, il était très tard et la mer est trompeuse, n'est-ce pas?

— Le petit a déclaré que ce navire avait été attaqué, poursuivit Ihmon. Confirmez-vous ses dires?

— Bien sûr.

À quoi cet interrogatoire rimait-il? Les trois hommes semblaient inquiets et pourtant se gardaient bien de donner la moindre explication. Ils congédièrent Moraggen l'instant suivant et lorsqu'elle eut tourné le dos, elle les entendit dire que la sécurité serait doublée dès le soir. Que craignaient-ils donc?

Moraggen venait de revêtir sa robe de nuit et laissait Novell lui brosser les cheveux, tandis qu'elle discutait avec Elsabeth, qui était assise sur sa couchette. L'Elfe restait silencieuse, mais ne perdait pas un mot de ce que les Asapes étaient en train de se raconter. Subitement, la divinus se tut et se pétrifia. Novell s'inquiéta de ce brusque changement, mais Moraggen la rassura. Elsabeth avait simplement une vision. Cela ne s'était pas produit depuis plusieurs semaines, les dieux lui révèleraient sans doute quelque chose d'important.

Soudain, l'air sembla se glacer et le vent se mit à siffler contre le hublot. Moraggen entendit frapper à la porte et le verrou cliqueter. Novell hésita à aller répondre. On frappa de nouveau. La princesse entendit cette fois Kheldrik crier à son adresse depuis l'extérieur:

— Moraggen! Je suis là! J'arrive, tiens bon!

Comme les occupantes de la cabine tardaient à donner signe de vie, les coups se firent plus puissants. Le chevalier essayait manifestement de défoncer la porte. Bientôt, les gonds cédèrent. Kheldrik ainsi que Vikh se précipitèrent à l'intérieur, épées tirées. Au même instant, Elsabeth reprenait conscience, s'agrippait aux bras nus de Moraggen pour ne pas tomber.

— Qu'est-ce que tout cela signifie? s'écria Novell. Pourquoi cette violente intrusion, jeunes hommes?

L'Elfe était absolument indignée. Constatant la tenue inconvenante de sa pupille, elle couvrit les épaules de cette dernière d'une courtepointe. Moraggen la chassa d'un geste. Furieuse, Novell quitta la pièce, alors qu'Elsabeth se redressait tout à fait, la tête lourde.

— Que s'est-il passé? Que faites-vous ici? s'enquit la divinus étonnée de la présence de Vikh et de Kheldrik ainsi que des éclats de bois sur le sol laissant supposer une lutte.

— Pendant que tu avais ta vision, les garçons sont entrés de force chez nous...

— Nous vous croyions attaquées, expliqua précipitamment le chevalier. Nous avons vu un homme se faufiler dans votre cabine, il était en armes. J'ai voulu l'en empêcher, mais il a littéralement passé à travers le mur.

— J'étais avec lui quand nous vous avons entendues hurler à l'aide. La porte était fermée à clé, alors nous avons décider de la défoncer, poursuivit Vikh. Qu'est-ce qu'on pouvait faire d'autre?

— Personne n'a hurlé, rectifia Moraggen.

— Si!

Les quatre amis s'observaient maintenant en silence. D'abord un vaisseau en feu qui disparaissait, maintenant ça?

Elsabeth partagea sa vision avec ses amis, puisqu'elle n'arrivait pas à en saisir le sens. Il s'agissait d'une femme tombant à la mer depuis un navire elfe, puis, des flammes, et des rayons de lune.

Vikh fit un lien entre ses images et une vieille légende de marins qu'il aimait entendre étant enfant.

— On m'a raconté, qu'il y a très longtemps, il existait en Asapmy une reine dont la beauté avait causé une terrible guerre. Un seigneur elfe, qui s'en était épris, l'avait enlevée. Il comptait l'amener à Novgorar par bateau. Pour sauver leur belle souveraine, les Asaps avaient envoyé le bâtiment le plus rapide de leur flotte, avec à son bord leurs hommes les plus braves. La mission avait tourné au désastre. Avant d'arriver à son port, le navire des Elfes avait coulé et la reine avait été emportée par la mer. Le capitaine asap avait alors fait le vœu de la retrouver, même s'il lui fallait pour cela naviguer jusqu'à la fin des temps. Il paraît que, par des nuits brumeuses, il est encore possible d'apercevoir le vaisseau fantôme asap, qui n'a pas renoncé à sa tache et qui attend son salut.

Quand Vikh eut terminé le récit de sa légende, la divinus admit que cette dernière pouvait correspondre à sa vision, mais lui avoua qu'elle ne comprenait toujours pas la raison pour laquelle les dieux lui avaient partagé cette histoire.

Novell revint alors, accompagnée du Capitaine Toggart et de Velfrid, qui fulminaient tous les deux. Les jeunes gens résumèrent rapidement les derniers évènements. Après réflexion, Velfrid ordonna à Kheldrik de veiller devant la cabine des filles, afin d'agir si la mystérieuse attaque se répétait. Puis, tous se retirèrent.

Le lendemain, la rumeur avait fait son chemin parmi les membres de l'équipage. Sur toute *La Nymphe*, on ne parlait plus que de cette étrange histoire.

15

LE MHEGG

Nolan et Alemeï chevauchaient côte à côte.

La compagnie du prince avait quitté la capitale trois jours auparavant et voyageait maintenant sur la Derrovhen, la route du centre, en direction de Bernaal. Derrière les quelques cavaliers en tête, le reste des hommes conduisaient des attelages vides. Au retour, charrettes seraient bien garnies.

Depuis qu'il l'avait vu combattre, Alemeï s'intéressait beaucoup à l'Asap et discutait souvent avec lui, appréciant sa compagnie. Cette soudaine sympathie pour le mercenaire s'expliquait certainement par leur faible différence d'âge. Le prince, du haut de ses dix-huit ans, était très jeune pour un Elfe et ne fréquentait que dans d'exceptionnelles circonstances des gens de sa génération. Ses aînés lui avaient toujours présenté les personnes de son âge comme des abrutis, mais l'Asap, qui avait à peine vingt ans, lui semblait fort éloigné du portrait peu élogieux qu'on lui en aurait normalement fait.

De jour en jour, les deux jeunes hommes se découvraient de nombreuses affinités, au grand étonnement du reste de la compagnie choisie par le seigneur. Leur amitié attirait la réprobation. Après tout, Nolan était Asap, il fallait s'en méfier.

— La femme que je m'apprête à épouser est de ta race, expliquait Alemeï. Je parle votre langue, mais j'ai peur de connaître bien peu de mots d'amour en asap. Peut-être pourrais-tu me conseiller sur la manière de séduire cette princesse? J'imagine que votre façon de faire la cour diffère de la nôtre.

— Avec plaisir, mentit Anthony, qui pour rien au monde ne souhaitait être forcé de songer à l'amour. De quelle région de l'Asapmy vient ta fiancée?

— Loin de la tienne, elle est du Nord. Je ne puis te répondre plus en détail, pour l'instant. Cette affaire s'est réglée subitement, je connais peu de choses sur elle. Nous pourrons cependant la rencontrer bientôt, car elle doit voyager jusqu'ici. Ton aide me sera d'une grande utilité.

— Comptes-tu m'employer encore à la fin de cette mission? demanda poliment l'Asap, cachant son contentement.

— Tes services me sont précieux, Nolan.

Une princesse issue du Nord? Se pouvait-il qu'il s'agisse de... Non! Certainement pas! Alemeï était un bâtard. Il ne pourrait prétendre à la main de l'héritière, ce serait une grave insulte. Sa fiancée ne pouvait être que la fille d'un autre seigneur moins inportant. Anthony se rappela que Lévana Lledsamuz, la fille du Duc de Kamazuk, était en âge de se marier. Il voulut demander au prince le nom de sa promise, mais il fut interrompu par un des hommes d'Alemeï, qui chevauchaient en tête. Il avait fait s'arrêter la colonne d'un mouvement de la main.

Le prince se rendit à son niveau, inquisiteur.

— Que se passe-t-il, Adan?

— Sire, les chevaux sont nerveux. Quelque chose approche.

À cet instant, il sembla à Anthony que la terre s'était mise à trembler. Suivant un rythme régulier, un bruit sourd retentissait. La créature qui avançait dans leur direction devait être énorme pour que ses pas se répercutent ainsi.

La compagnie s'était immobilisée, armes au clair, attendant que la chose prenne le tournant sur la route, se révélant alors à leurs yeux. L'instant suivant, elle apparut au détour. Le vent charria une rafale putride.

— Un mhegg! s'écria Donovan, contrôlant péniblement sa monture.

Sans difficulté, Anthony reconnut la créature. Les récits de voyageurs en faisaient souvent état. Ce que Donovan avait nommé dans sa langue mhegg portait le nom de troll en Asapmy et était grandement redouté. Les Elfes et les Gnomes en employaient pour travailler dans les mines, mais le troll qui se trouvait devant eux était encore à l'état sauvage.

Il devait faire plus de cinq mètres de haut, avait la peau épaisse et grise, couverte de pustules verdâtres, et le crâne chauve. Le géant brandissait une massue de la taille d'un jeune arbre, qu'il abattit lourdement sur la compagnie, écrasant l'un des serviteurs d'Alemeï.

— Ne le tuez pas! ordonna le prince à ses hommes, qui s'apprêtaient à riposter.

Anthony s'étonna, croyant qu'il s'agissait d'un élan de compassion bien peu concevable chez un Elfe, mais Alemeï poursuivit.

— Capturez-le, il nous servira de monnaie d'échange à Bernaal.

C'était une bonne idée, sans doute le mhegg équivaudrait à la somme due aux commerçants, mais attraper un troll n'était pas chose aisée.

En attendant, le monstre avait causé de nombreux ravages. Il avait saisi dans son énorme poing un chariot et l'avait lancé sur les hommes du prince, qui l'avaient esquivé de leur mieux.

Donovan cria quelque chose en elfique, mais ses mots se perdirent, couverts par un rugissement du mhegg qui annonçait ainsi un nouveau coup de massue. L'Elfe s'empara d'une corde, jusque-là accrochée à la selle de son cheval, et en lança un bout à Anthony. Il fit s'avancer sa monture et l'Asap l'imita, devinant que Donovan avait l'intention de faire trébucher le troll en lui prenant les pieds dans la corde. Les deux mercenaires firent plusieurs fois le tour du mhegg, lui ligotant les jambes. Leur manœuvre échappa à la créature : son attention était accaparée par celle d'un autre soldat qui lui envoyait une volée de flèches. Le troll semblait presque s'en amuser, il poussait des gloussements gutturaux, s'apparentant certainement à un rire et écrasait les flèches comme des moustiques entre ses mains gigantesques. Une fois leur besogne achevée, Donovan et Anthony revinrent vers la compagnie, sans lâcher la corde. Soudain, le monstre sembla prendre conscience de leur présence et tenta de s'approcher. Il s'effondra, tombant comme au ralenti, poussant un cri rauque. Une fois le mhegg au sol, les Elfes se déployèrent. Ils attachèrent de solides cordes à leurs flèches, qu'ils envoyèrent se planter dans les bras et les jambes du troll. Chaque flèche qui s'enfonçait dans la cuirasse du monstre lui arrachait une faible plainte. Nolan, resté en retrait, n'eut aucune pitié. La bête levait un regard d'incompréhension vers ses ennemis, cherchant sans doute à saisir ce qui lui arrivait. Une fois le mhegg maîtrisé, les Elfes revinrent vers leur jeune seigneur.

— Nous passerons la nuit ici, expliqua ce dernier. Nous arriverons demain soir à Bernaal, le mhegg ne devrait pas causer trop de problèmes. Laissons-le où il est pour l'instant, vous le remettrez sur pied au matin.

Sur ce, les mercenaires s'activèrent à monter le camp, ignorant superbement l'énorme créature qui geignait à proximité.

Comme prévu, la compagnie était arrivée à Bernaal la veille.

Au lever du soleil, Alemeï avait fait appeler Donovan et Nolan afin de l'accompagner chez le marchand qu'il devait rencontrer et avait accordé à ses autres hommes un avant-midi de liberté.

Anthony était heureux de constater à quel point cette mission se révélait fructueuse. En peu de temps, il avait mené à bien la plupart de ses objectifs. Bien sûr, il passait encore de douloureuses heures à songer à Moraggen, mais depuis qu'il était entré au service du prince, il avait moins de temps à consacrer à ses sombres réflexions. Il s'accrochait au présent, tâchant d'offrir le meilleur de lui-même, et se tournait vers l'avenir, plein d'espoir pour sa vie nouvelle. Il avait réussi à gagner la confiance d'Alemeï — qu'il l'ait choisi comme garde rapproché en était une preuve — et savait pertinemment que cela était avantageux. Le Prince Alemeï Trenassen était puissant et craint, il était chanceux de jouir de sa protection.

Alemeï s'arrêta pour jeter un vif regard sur l'enseigne d'une boutique, avant d'y entrer sans plus d'hésitation. Ses deux hommes firent de même. Anthony s'étonna de se trouver chez un armurier plutôt que chez un orfèvre ou un tailleur, comme l'avait laissé supposer Ameleï au départ. Le prince de Novgorar ferait-il donc cadeau d'une arme à sa fiancée?

Le magasin était exigu. Au fond de la pièce, un rideau de velours entrouvert masquait l'entrée de ce qui avait l'apparence d'un vaste entrepôt. Sur les murs étaient accrochés différents modèles d'épées, de dagues et même de haches. Il n'y avait personne derrière le comptoir, mais une clochette d'argent était bien en évidence, à la disposition des clients. Alemeï la fit résonner et l'instant suivant, un Elfe revenait de l'arrière-boutique. Apercevant le prince, ses yeux s'animèrent d'un éclat soudain et il s'inclina profondément.

— Nous attendions impatiemment ton arrivée, mon seigneur.

— Tout est-il prêt, Maître Olenthiel?

— Pourquoi poser la question? Le Roi Lodvighen a donné des ordres très clairs.

— Montre-moi quelques pièces de la commande, que je vois si ton travail me satisfait.

Le commerçant s'inclina de nouveau et disparut dans son entrepôt. Il revint les bras chargés d'armes, qu'il déposa sur le comptoir. Il présenta une épée elfe à deux mains, des plus étranges. Anthony n'en avait jamais vu de semblables. Le manche, finement ouvragé et laqué, était de la même longueur que la lame et s'accordait parfaitement à sa courbe. Sa conception lui paraissait absurde; même si l'Asap pouvait en pressentir la légèreté, il se disait qu'il devait être bien mal aisé de manier une telle épée. Comme il lui était arrivé lors de l'épreuve qui l'avait sélectionné, il brûlait de voir quelqu'un la mettre à l'œuvre. À son grand étonnement, et celui de Donovan, Alemeï la saisit et commença à exécuter ce qui semblait être une routine d'entraînement. Les gestes du prince étaient effectués avec précision et habileté. Il n'apparaissait pas évident qu'il puisse se défendre ainsi à première vue. Soudain, il se tourna, prêt à frapper Anthony. Ce dernier dégaina et para l'attaque du prince. Sa lame trembla légèrement sous la puissance du coup déployé, mais celle forgée par Maître Olenthiel resta comme intouchée.

— Cela conviendra, conclut simplement Alemeï, rendant l'épée à Olenthiel et adressant à Nolan ce qui pouvait être un bref sourire. Je te fais confiance quant à la qualité de tes autres produits.

— Ta confiance n'est pas mal placée. Maître Olenthiel est le meilleur armurier de Magz, dit fièrement le marchand. La commande est encore dans l'entrepôt, mais peut être chargée dès ce soir.

— Ce serait l'idéal. Que tes voitures soient à la place du centre avant le coucher du soleil. C'est ton jour de chance, nous avons capturé un mhegg en chemin. Il fera office de paiement et pourra travailler dans tes forges.

— Tu es généreux, mon seigneur, répondit l'armurier qui, à vrai dire, ne semblait pas particulièrement réjoui.

Alemeï convint avec lui qu'il entrerait en possession du mhegg lorsqu'il livrerait sa marchandise et quitta l'échoppe, suivi de ses hommes.

Voyant que le prince reprenait tranquillement la direction de la place centrale, Nolan l'arrêta.

— Qu'est-ce que cette histoire, mon prince ? En quoi ces armes te sont nécessaires ?

Alemeï lança un regard nerveux aux alentours, reporta son attention sur ses serviteurs et annonça sans cérémonie :

— Novgorar entre en guerre.

— Cela me semblait clair depuis un moment déjà,

avoua Donovan. Si tu avais vraiment voulu des présents pour ta future, pourquoi aurais-tu pris la peine d'aller les chercher toi-même?

Anthony était pensif. Novgorar, en guerre? À moins que ce ne soit contre les humains, chose plutôt improbable puisque les relations politiques entre les Elfes et les Hommes étaient excellentes depuis de nombreuses années, le Roi Lodvighen avait certainement décidé d'apporter son aide à ses alliés dans la guerre qu'ils menaient contre Gnôrga Hs'an.

— Le roi a accordé son appui à l'Asapmy et c'est pourquoi tu dois épouser une de leurs princesses, n'est-ce pas? demanda-t-il, pour confirmer ses hypothèses.

Cette fois, Alemeï ne put retenir un léger ricanement. Il mit la main devant sa bouche afin de camoufler son sourire, il était, après tout, en public, et bientôt, se recomposait.

— Pardon. C'est simplement que ton idée me semble idiote. Pourquoi aiderions-nous ton peuple, Nolan?

— Ne sommes-nous pas alliés? Le mariage du Roi Obérius et de la Reine Tiarana n'a-t-il pas apporté la paix?

— Oui, mais les choses ont changé. Dans les présentes circonstances, nous avons choisi d'apporter dorénavant notre support à la Gnomalie.

— Ne fais pas cet air Nolan, réjouis-toi! l'intima Donovan, une pointe d'ironie dans la voix. N'est-ce pas toi qui as quitté ton pays afin d'exprimer ton désaccord avec le gouvernement? Tu le démontreras de façon plus claire en combattant à nos côtés.

— Vous avez raison tous les deux.

Il venait de prendre cette décision, trop rapidement, et se dit qu'il finirait certainement par la regretter. Anthony était heureux que ses années de traîtrise lui aient appris à masquer ses émotions: il ne devait plus laisser paraître son désarroi. Il penserait d'abord à lui. L'Asapmy faisait partie de son passé. Accepter de trahir une fois de plus son pays en combattant du côté des ennemis était une façon de se prouver à lui-même qu'il avait réussi à refaire sa vie.

Les trois hommes retournèrent au marché, où Alemeï acheta cette fois de véritables présents à l'intention de la princesse étrangère. Le soir venu, robes et bijoux furent chargés, tout comme les armes fournies par Maître Olenthiel. Chaque voiture de la caravane était

surveillée par un seul soldat. Sachant ce que conte-
naient les caisses livrées par le marchand, Nolan trouvait qu'ils étaient bien peu nombreux pour assurer la
défense d'une telle cargaison et espérait que le voyage
de retour se ferait sans embûches.

Au signal du Prince Alemeï, les mercenaires se
déployèrent et quittèrent Bernaal.

16

LE VAISSEAU FANTÔME

L e soleil disparaissait lentement à l'horizon et de violentes bourrasques agitaient les voiles.

Sur le pont, Moraggen et Elsabeth étaient en grande conversation avec Grimoniou, qui avait finalement rejoint le bateau. De prime abord, la divinus n'avait pas voulu qu'il les accompagne, jugeant que cette aventure était trop dangereuse pour son minuscule protégé. Elle était partie sans lui dire. Inquiet de sa disparition, le griffon avait remué ciel et terre afin de la retrouver. Il avait mis plusieurs jours à localiser *La Nymphe* et venait tout juste de se poser sur le bastingage.

— Comment as-tu pu m'abandonner ? Je m'inquiétais, je pensais qu'il t'était arrivé du mal ! s'écria la petite bête, offusquée.

— Je savais que tu voudrais m'accompagner, mais cette tâche est trop risquée pour toi, répondit Elsabeth, les poings sur les hanches.

— Tu es méchante!

— Mais non, intervint la princesse, elle veut simplement ton bien, Grimi.

La scène commençait à attirer les regards des membres de l'équipage. Tous semblaient curieux, certains ne pouvaient retenir leurs rires. C'était le cas des jumeaux Zaut, qui venaient de monter sur le pont principal.

— Qu'est-ce que cette étrange bestiole? demanda Jörg.

— Je suis Grimoniou, prince des griffons, et garde personnel de mademoiselle Elsabeth.

La remarque provoqua de nouveaux éclats de rire.

— Dans ce cas, nous formons une équipe. Je suis également chargé de sa protection, continua le guerrier.

Grimoniou lui lança un regard suspicieux et voulut s'envoler afin d'aller se percher sur le mât de beaupré, mais un vent violent le ramena en arrière. Il continua de lutter contre les courants d'air un instant, piaillant bruyamment, puis Elsabeth le prit dans ses bras comme s'il s'agissait d'un petit chat.

— On dirait qu'une tempête se prépare, ce n'est pas un endroit pour un griffon. Je vais te montrer ma cabine.

Ils disparurent dans l'escalier.

Grimoniou venait tout juste de découvrir la pièce que Moraggen y entrait à son tour. Elle semblait nerveuse.

— L'orage approche. Pratiquement tout l'équipage s'est rassemblé là-haut pour être prêt lorsqu'il va éclater. Le capitaine nous suggère de rester ici et, pour une fois, je crois que nous devrions l'écouter. Je ne connais rien à la navigation, je ne veux déranger personne.

Bientôt, le navire entier tangua. La pluie martelait le pont. Le vent soufflait dans les voilures, faisant se balancer les cordages. Les hommes déjà trempés se faisaient parfois arroser par une vague frappant la carlingue. Vikh, qui avait grandi dans un village de pêcheurs de la côte ouest, aidait l'équipage dans l'exécution des ordres. Il chevauchait une vergue du grand mât, ferlant une voile, c'est pourquoi il fut l'un des premiers à apercevoir l'autre vaisseau, à travers la pluie et la brume.

— Regardez! Navire à tribord!

Le bateau était asap, on le reconnaissait au pavillon, mais semblait avoir été construit il y a de nombreuses années. Il n'avait qu'un mât, portait des voiles carrées, et était bien plus petit que *La Nymphe*. Malgré l'orage, il avançait à toute allure et contre le vent...

Sur le pont inférieur, Moraggen, Elsabeth, Grimoniou, Novell et Arbustus étaient attablés dans la salle commune. Ils gardaient le silence, ne sachant ce qu'il était convenable de dire dans un moment pareil, partageant tous le même sentiment d'inutilité. Tout à coup, les voix provenant de l'extérieur se turent également. On n'entendait plus que les craquements du navire et le bruit de l'orage.

Moraggen se redressa, prêtant l'oreille. Que se passait-il? Elle voulut rejoindre le pont principal, mais, alors qu'elle s'apprêtait à le faire, quelqu'un descendit l'escalier, lui bloquant le passage. L'homme qui avait surgi, ne faisait pas partie de l'équipage de *La Nymphe*. Il considéra la princesse avec circonspection un moment, puis, bien qu'il n'eût pas esquissé un geste, Moraggen se sentit forcée de monter à ses côtés. Devinant qu'il s'agissait d'un maléfice, elle voulut hurler, mais aucun son ne parvint à sortir de sa bouche. Affolée, elle entendit tout de même Grimoniou pousser un cri aigu et Elsabeth ordonner à l'étranger de la libérer, mais celui-ci ne lâcha pas sa prise. La divinus s'élança sur leurs talons.

Sur le pont, Moraggen comprit pourquoi l'équipage au complet était plongé dans le mutisme. Chacun des hommes était menacé par un intrus qui avait manifestement le pouvoir de réduire quiconque au silence par un simple contact.

Une fois de plus, la princesse se sentit bien superficielle, mais elle ne put s'empêcher de remarquer que les habits des envahisseurs étaient extrêmement démodés. Personne ne portait plus ce genre de vêtements depuis au moins cent ans.

Le ravisseur de Moraggen venait de l'amener à son capitaine, un grand Asap portant un horrible chapeau à plume. Il détailla la prisonnière à son tour, puis leva la main. Du coup, l'équipage retrouva la parole. «Qu'est-ce que c'est que ça?» bramaient certains; «Comment est-ce possible?» braillaient d'autres; «Voilà ce qui arrive quand on a une femme à bord! Tout le monde sait que ça porte malheur!» échappa même un des marins. Le Capitaine Toggart réclama le silence, regrettant de ne pas avoir les pouvoirs de son ennemi.

— Nous allons engager des pourparlers afin de savoir ce qu'ils nous veulent, beugla-t-il, couvrant le tumulte. Je vais m'entretenir avec leur capitaine! Vous tous, restez ici!

—Capitaine, commença Elsabeth, laissez-moi négocier avec eux. Je crois connaître leur but et, étant divinus, je m'estime la plus habile à communiquer avec des fantômes.

— Des fantômes! s'exclama le griffon, qui venait de les rejoindre.

— C'est bien ce qu'ils sont, confirma la jeune prêtresse. Depuis quelque temps déjà, je sens vaguement leur énergie, mais ce soir, c'est clair. Elle est très vieille, pleine de souvenirs. Ce sont eux qui sont derrière les manifestations des derniers jours.

— Dans ce cas, à vous de jouer Mademoiselle Elsabeth, se résigna Toggart.

Sous le regard de tous, morts ou vivants, la jeune femme sortit le Capteur d'Ondes de sa bourse et le plaça sur son front. L'étoile entre deux croissants de lune y apparut. Le symbole semblait briller d'une lueur froide. L'équipage fantôme s'agita, un murmure s'éleva parmi eux et le capitaine au chapeau s'avança.

Ses lèvres ne bougèrent pas, mais sa voix, profonde et grave, résonna clairement dans l'esprit de chacun.

— Que nous voulez-vous, devineresse?

— Pourquoi avez-vous abordé notre navire et pourquoi retenez-vous contre son gré la princesse? demanda la divinus.

— Nous recherchions une noble dame disparue dans les flots. Une Asape au cœur pur et d'une beauté inégalée. Nous l'avons trouvée. Nous partirons maintenant.

Les fantômes, qui, jusqu'à présent, avait bien l'air en chair et en os, semblèrent soudain se dématérialiser, tout comme Moraggen, qui poussa un hurlement déchirant. Chacun pouvait voir au travers de leur corps lorsque, provoquant un puissant flash, Elsabeth leva solennellement la main. Les esprits et leur prisonnière reprirent une forme solide.

— Moraggen n'est pas celle que vous cherchez. Vous ne partirez pas avec elle.

De nouveaux chuchotements s'élevèrent de l'assemblée. Le capitaine du vaisseau fantôme pivota afin de faire face à la princesse, toujours retenue. Son regard rencontra celui de Moraggen, qui frissonna de tout son être. Elle avait l'impression qu'il sondait son âme, cherchant à voir si Elsabeth disait la vérité.

La magicienne reprit la parole:

— Les dieux m'ont permis de voir votre drame. La dame que vous recherchez ne se trouve plus dans ce monde. La mer l'a emportée et elle a rejoint l'Au-Delà. Acharnez-vous encore et vous errerez pour l'éternité.

— Pourquoi vous croirais-je? demanda le capitaine, furieux.

— Moraggen a le pouvoir de vous rendre votre liberté. Si vous la relâchez, vous pourrez rejoindre l'Au-Delà à votre tour.

Le capitaine observa les flots déchaînés un moment, puis donna l'ordre de libérer Moraggen, qui courut se réfugier dans les bras de Vikh.

— Votre promesse... rappela aussitôt l'équipage fantôme, en chœur.

Elsabeth attira son amie à ses côtés et lui prit la main.

— J'aime autant t'avertir, je ne suis pas certaine de ce que j'avance. Essayons quand même! Tu n'as qu'à dire qu'ils sont libres et ils vont disparaître, murmura-t-elle.

— Pourquoi moi? se rebiffa Moraggen.

— S'ils croient que tu es la réincarnation de cette dame, tu dois bien avoir quelque chose de spécial, non?

Sa main toujours dans celle de la divinus, Moraggen fit face aux fantômes et s'adressa à leur capitaine:

— Je considère votre tâche accomplie et je vous libère! Puissent vos esprits rejoindre l'Au-Delà et trouver la paix.

Les fantômes s'évaporèrent aussitôt, ne laissant derrière eux qu'un nuage de brume épaisse et grise.

L'équipage de *La Nymphe* resta immobile encore un instant. Stupéfaits, les hommes regardaient autour d'eux, n'arrivant pas à croire ce qui venait de se passer. Ce fut Grimoniou qui, le premier, reprit ses esprits.

— Bien joué Elsie! Bien joué Morggi! cria-t-il. Nous sommes sauvés!

Prenant son exemple, les membres de l'équipage acclamèrent les jeunes femmes.

Soudain, une vague particulièrement puissante frappa le navire, le faisant dangereusement basculer. Sous le regard effaré de leurs compagnons, des hommes tombèrent par terre et roulèrent tout le long du pont. Le temps semblait s'être suspendu pendant que les fantômes se trouvaient à bord, mais, maintenant qu'ils avaient quitté *La Nymphe*, les Asaps devaient de nouveau lutter contre la tempête.

Fidèle à son devoir, Toggart lança ses ordres, repris par les différents officiers, et l'équipage s'activa. Le capitaine craignait que le bateau n'ait dérivé et frappe maintenant un récif. Il s'élança à la barre pour ajuster le cap. Il ne serait visiblement pas aisé de reprendre la bonne trajectoire. Autour de Moraggen, on courait dans tous les sens. La princesse aperçut à travers cette pagaille Vikh et Robbie grimper dans un hauban. Une vague les éclaboussa et la princesse craignit qu'ils n'aient été emportés par la mer, mais ses amis tinrent bon.

Pressées par le griffon, Moraggen et Elsabeth descendirent ensuite au niveau inférieur, bien heureuses de se mettre au sec.

Elles furent étonnées de retrouver Novell et Arbustus comme elles les avaient laissés. Ces deux-là leur étaient simplement sortis de l'esprit.

— Que faisiez-vous là-haut? demanda le duc.

— Moraggen Tantiarana, regarde-toi, tu es trempée! Pourquoi as-tu accepté de suivre cet homme par un temps pareil?

Les deux amies échangèrent un regard et se dirigèrent vers leur cabine. Elles laisseraient à d'autres le plaisir de leur expliquer ce qui s'était passé. Moraggen se demanda si l'Elfe arriverait à les croire.

Dans le couloir, elles croisèrent le pauvre Shipeh, dont le teint était à présent littéralement vert. Visiblement, la tempête n'avait pas amélioré son mal de mer. Celui-là était définitivement inutile.

17

NOVGORAR

La Nymphe venait d'atteindre Novgorar.

Le reste de la traversée s'était déroulé sans encombre, pour le plus grand bonheur de Shipeh qui se plaignait encore de la nuit de la tempête. Comme prévu, ils accostèrent au port d'Ündedal au début de la troisième semaine de voyage. Cette petite ville se trouvait sur la côté est du pays. Avant de rejoindre Eldel, la capitale, la délégation devrait voyager une semaine de plus à travers les terres.

La passerelle permettant de quitter le navire venait d'être installée et, d'après le protocole, Moraggen devait y descendre la première. La princesse avait de la difficulté à s'y résoudre, elle ne souhaitait pas faire ses adieux à l'équipage, spécialement au jeune Robbie. Il avait su gagner l'affection de la princesse et ses amis. Il se tenait avec eux sur le pont, sans trop savoir quoi dire. Vikh lui avait proposé de se joindre à la délégation peu de temps auparavant, mais le matelot, pourtant tenté, avait refusé.

— Tu es certain de ne pas vouloir nous suivre, Robbie? l'invita de nouveau Moraggen.

— Vous me faites beaucoup d'honneurs, Votre Altesse, mais je n'abandonnerai pas *La Nymphe*, répondit le garçon. J'appartiens à la mer.

— Eh bien au revoir, dans ce cas.

Moraggen salua une dernière fois le Capitaine Toggart et les autres membres de l'équipage, puis s'engagea sur la passerelle.

En bas, une centaine de gardes envoyés par le Roi Lodvighen était là pour accueillir les diplomates. Sur des cotes de mailles brillantes, ils portaient des tabards et de très amples capes du même violet, brodés de l'étrange poisson blanc des armoiries royales. L'un des soldats s'avança lorsque la princesse leur fit face et, en elfique, lui souhaita la bienvenue. Moraggen lui répondit avec plus d'aise que ce qu'elle avait espéré, maudissant tout de même son accent asap.

Attendant que ses compagnons mettent à leur tour pied à terre, elle parcourut du regard les alentours. Ündedal semblait nette. Les façades des maisons se ressemblaient toutes. Le sol était entièrement pavé, il n'y avait donc aucune végétation à l'intérieur de la ville; pas de pelouse, pas d'arbres poussant le long des rues, qui suivaient des lignes droites, d'ailleurs. Cet endroit semblait très carré en comparaison avec la folle architecture des riches quartiers de Kamazuk. Moraggen avait hâte d'entrer dans la capitale elfe pour voir si elle se révèlerait plus intéressante. D'un autre côté, elle savait que lorsqu'elle y serait, elle devrait accepter pour de bon ses responsabilités et la décision qu'elle avait prise. Elle rencontrerait bientôt son fiancé et la famille de sa mère. Sa famille. Elle ne pouvait plus faire demi tour, ni se voiler la face désormais.

Elsabeth, Vikh et Kheldrik la rejoignirent, souriants.

— Qu'est-ce qui vous amuse tant? demanda Moraggen.

— Tu devrais voir ta tête, répliqua Vikh. Altesse, on t'amène dans un palais, pas à l'abattoir. Tout va bien aller.

— J'imagine que vous avez raison, soupira la jeune femme. Juste au cas où … qu'est-ce que je fais si mon fiancé est détestable et que le roi refuse de nous aider?

— Cela n'arrivera pas, ait confiance, la rassura la divinus.

Les quatre amis se laissèrent guider vers une somptueuse auberge. Les membres de la délégation asape reprendraient la route vers Eldel tôt le lendemain. En attendant, Moraggen n'avait plus qu'à nourrir sa détermination. Elle parviendrait à convaincre les Elfes et gagnerait cette guerre. Il le fallait.

L'Asapmy vaincrait.

à suivre...

Glossaire

Protagonistes

Remerciements

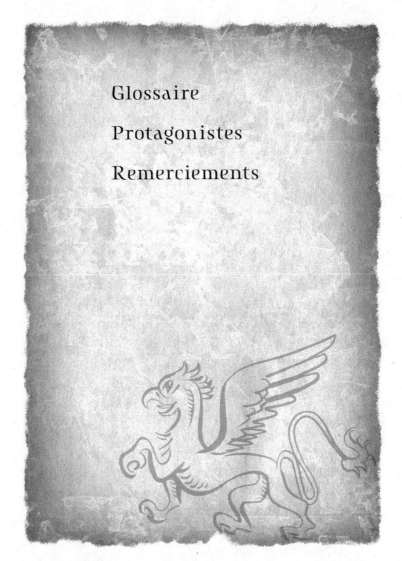

Glossaire

AMULETTE D'AETHER

Pendentif de la forme d'une feuille d'arbre dont les ramures aux couleurs particulières ont la forme d'un éclair. L'Aether est offert par un Ancien Esprit à un nouveau-né durant sa première nuit de pleine lune. Ainsi, chaque Asap reçoit un collier qui lui est propre, l'espèce d'arbre et les couleurs de la feuille variant pour chaque individu. Nulle part ailleurs à Magz, on ne retrouve la matière, à la fois incassable et très légère, dont est fait un Aether. S'il s'agit d'un talisman apportant la vie éternelle, certaines blessures ou maladies peuvent cependant changer le cours des choses. Une arme de mortel peut uniquement venir à bout d'un Asap si celui-ci n'a pas son Aether sur lui. Le port de l'Amulette d'Aether est indispensable pour utiliser les dons des Anciens Esprits. Ces pouvoirs varient selon ceux du dieu qui a apporté l'amulette. Traditionnellement, les hommes l'attachent à leur ceinture, tandis que les femmes le portent autour du cou.

ASAP

À l'origine, les Asaps étaient des créatures sauvages, mais fondamentalement bonnes, qui vivaient en harmonie avec la nature. Elles habitaient les montagnes et parfois même les hauts sommets des arbres. Avec le temps, leur société a évolué et est désormais basée sur le modèle féodal. Si les Asaps partagent de nombreux points communs avec les autres créatures de Magz (la taille et l'esprit des Hommes, la beauté et les oreilles en pointe des Elfes), les dieux les firent avec des yeux et des cheveux aux couleurs de l'arc-en-ciel, pour les différencier de leurs autres créations. Les Anciens Esprits des éléments leur accordent également certains pouvoirs, différents pour chaque individu. Pouvoirs qui, néanmoins, dépendent de leur Amulette d'Aether.

ASAPMY

Pays détenant la plus grande superficie de Magz. Il est organisé selon le système seigneurial et dirigé par le Roi Obérius de Kildhar. Sa capitale est Kamazuk, mais la plus grande ville est Kuvaldin. L'Asapmy est divisée en dix régions administratives. Son économie est principalement basée sur l'exploitation minière, l'agriculture, l'élevage et la pêche. Ses habitants sont des Asaps.

CAPTEUR D'ONDES

L'objet le plus utile à un divinus. En général, le Capteur d'Ondes est de forme inusitée puisqu'il s'agit de l'objet qu'aura touché un divinus après avoir fait sa première prophétie. Son utilisation est nécessaire pour localiser un dieu et pour se servir de ses dons.

DIVINUS

Personne choisie par les dieux asaps pour les représenter sur terre. Il n'en existe pas plus de deux par génération, un au service de chaque Forces Primitives: l'Ordre et le Chaos. En plus d'avoir la capacité de communiquer directement avec les dieux, les divinus possèdent des pouvoirs sur tous les éléments et ont des dons divinatoires. Ces pouvoirs nécessitent l'emploi d'un Capteur d'Ondes.

GNOME

Cette race de créatures repoussantes est ennemie des Asaps depuis la nuit des temps. Ces êtres perfides sont habitants de la Gnomalie.

KANTELLÄN

Palais royal se dressant à Kamazuk. C'est là que le roi tient sa cour.

MAGZ

Monde où se déroule cette histoire. Cet univers est divisé en plusieurs pays, dont les principaux sont l'Asapmy, la Gnomalie, le Royaume, Novgorar, le Zellu et Muggeo.

SFERACY

Moyen de communication en temps réel inventé par l'Allié. Il n'en existe que deux à travers Magz, l'une en Asapmy et l'autre en Gnomalie. En apparence, elles ressemblent à des globes d'émeraude.

NOVGORAR

De par sa superficie, le quatrième plus grand pays de Magz. Novgorar est dirigée par le Roi Lodvighen. Sa capitale est Eldel. Ses habitants sont des Elfes. Les forgerons et orfèvres elfes ont développé une technique particulière pour travailler le métal, pour laquelle ils sont renommés à travers le monde.

ELFES

L'une des races les plus importantes de Magz. Ils habitent Novgorar. Les Elfes, tout comme les Asaps, ont les oreilles pointues et sont reconnus pour leur grande beauté. S'ils ont également le don d'immortalité, ils ne possèdent en revanche pas de pouvoirs magiques liés aux éléments. Le peuple elfe valorise le respect de l'autorité et de la tradition. Montrer ses émotions en public est considéré comme honteux. Les Elfes et les Asaps se sont opposés pendant de nombreuses guerres, jusqu'à la signature d'un récent traité de paix, qui a uni la princesse Tiarana Tanlodvighen au roi asap Obérius de Kildhar.

KWARZY

Arme typique de Muggeo. Il s'agit d'un sabre à la lame large et dentelée, très difficile à manier.

MHEGG (Troll)

Créature peuplant certaines forêts et montagnes de Magz. À l'état sauvage, elle représente un danger pour quiconque l'approche. Une fois dressée, cependant, elle se révèle d'une grande utilité pour effectuer des travaux exigeants. Les Elfes et les Gnomes en emploient comme ouvriers dans leurs mines et forges, ainsi que pour transporter de la marchandise ou bâtir des forteresses. Les mhegg peuvent aussi être entraînés au combat.

LA NYMPHE

Navire devant transporter la délégation jusqu'à Novgorar. Son capitaine est Toggart Langley.

Protagonistes

MORAGGEN DE KILDHAR (17 ans)

Elle est la fille du roi de l'Asapmy, Obérius, et de la Reine Tiarana. Elle est donc mi-Elfe mi-Asape, chose plutôt rare. De plus, ses yeux sont vairons, ce qui a toujours été le signe d'un destin particulier. Son Amulette d'Aether lui confère des pouvoirs sur l'élément du feu. Moraggen est une jeune femme passionnée, qui recherche l'aventure.

ANTHONY DE NATHANDEL, DIT L'ALLIÉ (20 ans)

Apprenti d'Adalbald le Mage. Fils de l'Intendant Poléus. Il est le fameux Allié, le traître au service des Gnomes. Il s'est associé à Gnôrga Hs'an afin de prendre le contrôle de l'Asapmy, mais des évènements hors de son contrôle ont mis fin à leur entente. Depuis, il tâche de reprendre sa vie en main. Il possède une intelligence hors du commun, lui permettant d'échapper aux pires situations. Il est l'inventeur de la Sferacy, pour laquelle il a sacrifié les pouvoirs de son Aether.

ELSABETH TUMLYN (18 ans)

Elle est divinus au service du Roi Obérius. Par contre, elle n'arrive pas encore à maîtriser ses pouvoirs, ce qui la rend totalement imprévisible. Elle la meilleure amie d'enfance de la Princesse Moraggen. Elsabeth fonce tête baissée devant le danger, en quête de sensations fortes. Pour elle, la vie de château est d'un ennui mortel.

KHELDRIK DE LA GARIOCH (18 ans)

Chevalier d'Aanor. Il a été l'écuyer du Roi Obérius. Il est l'un des meilleurs amis de la Princesse Moraggen, de qui il est amoureux depuis toujours. Il possède des pouvoirs sur l'air. Kheldrik est plus posé que ses compagnons, mais sa loyauté indéfectible le pousse à les suivre jusqu'au bout du monde.

VIKH DUMMKOPF (18 ans)

Forgeron du roi. Il habite Kamazuk, mais a grandi dans un village de pêcheurs de la côte ouest. Bien qu'il soit d'origine modeste, il est le meilleur ami de Kheldrik, Moraggen et Elsabeth. Il possède des pouvoirs de guérison, chose bien utile quand on est aussi téméraire que lui. Vikh est quelqu'un de brave et un éternel optimiste. Son charisme et son humour lui assurent un impressionnant succès auprès des femmes, situation de laquelle il profite amplement.

TIARANA TANLODVIGHEN

Une Elfe. Elle est la femme du roi Obérius, donc la reine de l'Asapmy, et la mère de Moraggen. Tiarana est très nostalgique de sa terre d'origine, Novgorar, et se conduit froidement, voire méchamment, avec ceux qui l'entourent. Elle est méprisée du peuple asap.

OBÉRIUS DE KILDHAR

Il est le roi de l'Asapmy et le père de Moraggen. C'est un seigneur juste et bon, qui a à cœur le bien-être de son peuple.

ADALBALD LE MAGE

Membre du Conseil. Puissant magicien et guerrier au service du Roi Obérius à Kantellän. Il est le mentor de Moraggen, Elsabeth et Anthony.

POLÉUS DE NATHANDEL

Membre du Conseil. Il est l'intendant et l'ami le plus proche du Roi Obérius. Il est le père d'Anthony, mais ignore tout du complot que tramait son fils.

DEHGRAN

Membre du Conseil et Grand Chancelier. Dehgran est manipulateur et opportuniste. Il s'alliera à la Reine Tiarana.

SAVATH

Membre du Conseil et Grand Prêtre de Kamazuk.
Par conséquent, c'est lui qui est chargé de l'éducation d'Elsabeth, de qui il jalouse les pouvoirs.
Savath est très pieux et suit toutes les règles de
son institution à la lettre.

NOVELL TANHAED

Elfe au service de la Reine Tiarana. Elle a
intégré la délégation afin d'aider ses membres à s'accoutumer aux mœurs elfes,
mais est en fait un envoyée de la reine lui
transmettant secrètement des informations. Elle est stricte et contrôle le
plus étroitement possible la vie de
Moraggen, de qui elle est désormais
la suivante.

VELFRID KAVALCAN

Membre de la délégation. Chevalier
d'Aanor. Lieutenant–général
de l'armée royale. Il est l'un
des plus fins stratèges de
l'Asapmy. C'est un homme
sévère, sérieux, mais indé-
fectiblement loyal.

IHMON DE KRAPUL

Membre de la délégation. Chef des légions de Kâ'Sham. Maître d'arme à l'Académie Nemlëss. Il est l'un des plus fins stratèges de l'Asapmy. Il a inventé une technique révolutionnaire de combat, très difficile à maîtriser mais terriblement efficace, basée notamment sur l'utilisation des pouvoirs des Amulettes d'Aether, le travail d'équipe, l'agilité et la force de frappe.

ARBUSTUS LLEDSAMUZ

Membre de la délégation. Duc de Kamazuk. Si, à première vue, on peut le croire un riche et exubérent bourgeois, il reste l'un des seigneurs les plus importants de l'Asapmy. C'est un homme qui sait profiter des plaisirs de la vie, mais qui garde cependant un fort sens des responsabilités.

LEONEL LASID VEÏ PINUFIM PHOAMI

Humain originaire de Muggeo. Mercenaire formé à l'Académie Nemlëss de Kâ'Sham. Sous les ordres d'Ihmon de Krapul, son chef, il assurera la protection de la délégation. En plus des armes asapes, il maîtrise le maniement du kwarzy.

JÖRG ET JOERG ZAUT

Des frères jumeaux. Mercenaires formés à l'Académie
Nemlëss de Kâ'Sham. Sous
les ordres d'Ihmon de Krapul,
leur chef, ils assureront la
protection de la délégation.

Ils sont particulièrement sym-
pathiques et se lieront rapidement d'amitié avec
les quatre héros.

ENEKO DAQNIGE

Chevalier d'Aanor. Ami de Kheldrik.
Il a le grade de capitaine et dirigeait
une garnison retenant les envahisseurs gnomes en campa-
gne. Il a été placé sous les
ordres de Velfrid Kavalcan et
assure la protection de la
délégation.

SHIPEH SAAPITAL

Membre de la délégation. Guérisseur royal. Son utilité dans la mission est constamment remise en question par ses pairs, qui l'estiment incompétent. Shipeh est un peu cafouilleur et manque franchement d'assurance.

ROBARBIN KINNÄR, DIT ROBBIE

Mousse engagé sur *La Nymphe*. Il a la chance de participer au voyage de la délégation et de faire la connaissance de ses membres.

TOGGART LANGLEY

Capitaine de *La Nymphe*, le navire qui amènera la délégation à Novgorar. Il est un marin expérimenté et n'entends pas à rire.

NOLAN SLATERRY

Voir Anthony de Nathandel.

ALEMEÏ TRENASSEN

Elfe. Fils bâtard du seigneur Assen, il tient malgré tout une place importante à la cour du Roi Lodvighen. Fiancé à Moraggen. Il prendra à son service Nolan Slaterry, qui deviendra rapidement son confident et ami.

DONOVAN

Elfe au service d'Alemeï.

GRIMONIOU

C'est un bébé griffon qui ne mesure encore que quelques trente centimètre de haut. Il était gardien du labyrinthe sacré des Plaines Vertes, mais a été adopté par Elsabeth, qu'il adore. Il est très enthousiaste et ne cesse jamais de parler.

TOM LE GARDIEN

Il est originaire du Zellu et affiche donc certaines caractéristiques de son totem, le raton laveur. Tom est le gardien du légendaire Arbre Bleu et disposé à offrir son aide ceux qui en ont besoin. Il est un homme cultivé et honnête.

TILLY

Elle est la femme du cuisinier Ubert et la nourrice de Moraggen. Elle donnerait tout pour sa protégée qu'elle considère comme sa propre fille.

GNÔRGA HS'AN

Elle est une Gnome, générale des armées de l'Empereur Darkaldark. Elle s'est associée à l'Allié afin d'obtenir des informations sur la vie à Kantellän. Ensemble, ils planifiaient une invasion de l'Asapmy, mais elle a tenté de se débarrasser de lui avant de réussir à prendre le contrôle du royaume. Gnôrga a peut-être la tête vide, mais est une redoutable guerrière assoiffée de sang. Son plus cher désir est de prendre le contrôle de l'Asapmy.

ANAËLLE DE NATHANDEL

Elle était la femme de Poléus et la mère d'Anthony, mais a perdu la vie dans des circonstances tragiques. Anaëlle, par sa bonté et son implication auprès du peuple, était considérée comme la première dame de l'Asapmy.

Remerciements

On ne s'en rend pas toujours compte quand on tient le produit fini dans nos mains, mais un livre est le résultat du long et laborieux travail de plusieurs, plusieurs personnes.

Pour sa patience, ses toujours judicieux conseils et ses encouragements, mais aussi pour ses soupirs et ses coups de pieds aux fesses quand il le fallait, je remercie mon *First Lieutenant*, ma muse et ma Elsabeth: Alexandra Meissner. Je ne serai pas allée bien loin à la découverte de Magz si tu ne m'avais pas suivie dans cette aventure ....

Pour leur enthousiasme, je remercie Anne Catherine Bélanger-Catta et Maxim David.

Pour avoir enduré quelques crises de nerfs lorsque je me piégeais moi-même et des bruits de clavier qui tape la nuit, je remercie mes parents Sylvain Guilbault et Lynda Whitlock.

Asapmy n'aurait jamais prit forme sans l'extraordinaire équipe de chez Fides. Merci à Michel Maillé, Pierre Carron, Christiane Bohémier, Carole Ouimet, Gianni Caccia, Jean-Michel Ayotte, Marie-Claude Bressan et tous les autres. Merci d'avoir cru en mon rêve!

Merci à l'illustrateur Alain Reno qui a su donner un visage à tous ces drôles de personnages.

Merci à toutes les personnes impliquées de près ou de loin dans la production de ce livre ainsi qu'à tous ceux qui ont pris le temps de lire le manuscrit dans les nombreuses années précédant sa publication.

Pour finir, merci à
Moraggen de Kildhar, Anthony de Nathandel, Vikh Dummkopf, Elsabeth Tumlyn et Kheldrik de la Garioch, mes amis, mes bébés, parce que plus souvent qu'autrement, ils écrivent seuls leur histoire.

TABLE DES MATIÈRES

L'intérieur de ce livre a été imprimé au Québec en janvier 2011
sur du papier entièrement recyclé
sur les presses de l'Imprimerie Gauvin.